MIURA AYAKO LITERATURE MUSEUM
三浦綾子記念文学館

手から手へ～三浦綾子記念文学館復刊シリーズ⑤

残像　下

三浦綾子

残像　下　もくじ

カバーデザイン　齋藤玄輔

衝立

衝立

教頭の萩崎に誘われた洋吉は、久しぶりに歓楽街の薄野に出てきた。流れるようなレモン色のネオンや、青赤黄と、めまぐるしく変化するネオンに彩られる街は、活気が溢れていた。

出張で札幌に来たらしい中年の男たちや、申し合わせたように手をズボンのポケットに入れたサラリーマンふうの一団が、生き生きとした表情を見せてすれちがって行く。それは、朝夕出勤の行き帰りの中で会う男たちの表情とは、全くちがったものだった。そして多分、自分もまたいつもとちがった顔をしているのにちがいないと洋吉は思った。

今日は、月に二回ほど持たれる定例の職員会議があった。今月一日に行なわれた運動会の反省が主で、格別の案件もなかった。いつもより一時間も早く、五時前に会議を終えてほっとしていると、教頭の萩崎が、

「お伴させてください」

と誘ったのだ。萩崎は万事によく気のつく男だが、心の底を見せない用心深さがあった。それだけに、誘われると洋吉も拒むことはできずに、街に出てきたのだった。

「校長先生、ここの店、ご存じですか」

雑踏の通りから小路にはいった三軒めの店の前で萩崎は立ちどまった。

「いや、知りませんね」

〈えぞっこ〉と白く染めぬいたのれんと、赤や青のステンドグラスの引戸が、妙にアンバランスでいて、結構バランスのとれているのがおもしろいと洋吉は思った。

「おでんがうまいですよ」

教頭が先に立って戸に近づくと、ステンドグラスの引戸は、自動ドアですっと片側に開いた。

「いらっしゃいまし!」

三人の板前の威勢のよい声がとんできた。

思ったより広い店内で、客が六分方はいっていた。畳敷きの小上りの席につくと、〈えぞっこ〉の紺の印半纏を着た色白の少年が、すぐにおしぼりとメニューを持ってきた。メニューには、おでんのほか、毛がにやほっき貝などの郷土料理もあれば、すき焼や豚かつなどもある。

「何となく、明治の開化の頃を感じませんか」

メニューを見ている洋吉の顔を眺めて、萩崎がいった。

「ああ、ステンドグラスと紺ののれんの感じだね、このメニューも」

おでんも、馬鈴薯、ほっき、ほたて、蕗、根曲り竹ノ子などと書いてあるのが、北海道の味なのだろう。

日本酒と、おでんとグリーンアスパラのサラダを注文して、背丈よりも高い前後の衝立を、洋吉は珍しそうに見た。前の衝立には、榎本武揚の函館戦争の絵が描かれ、うしろには、アイヌの熊祭りの絵が描かれている。いずれも絵巻物ふうに、たくさんの人が描かれている。丈高い衝立で隣りの席が見えず、落ちついた感じだった。

酒が運ばれ、萩崎に酌をされながら、今夜自分を誘った教頭の気持を、洋吉は思っていた。

「君とはもう、何年になりますかね」

「五年になりますよ、校長先生」

「ほう、もう五年にもなりましたかねえ」

そろそろ校長に出してもよい頃なのだと、萩崎の禿げ上った額のあたりに目をやり、

「つい二、三年かと思っていましたがね。これはこれは」

洋吉は大きくうなずいて見せた。それは、いずれ萩崎をどこかに栄転させねばというよ

うにも見えるうなずき方だった。

「うまい！　なるほど」

味のしみた馬鈴薯が、栗のようにひきしまってうまかった。うまいといわれて、萩崎がうれしそうに相好を崩した。味をほめられたことより、校長が、万年教頭に終りそうな自分の身のふり方を考えてくれるらしい様子が、うれしかったのだ。

「喜んでいただければ、お誘いした甲斐がありますよ。今夜はごゆっくりどうぞ」

萩崎が、銚子を洋吉にさし出した時、

「いらっしゃい」

と、再び威勢のよい声がした。何気なく入口に目をやった洋吉は、ぎくりとした。近頃、ぱったりと電話もよこさず、訪ねても来なくなった糸川みどりきょうだいが、はいってきたのだ。

ここで顔を見られてはまずい。さりげなく、体を少し内側にずらせて顔をそむけたが、入口には背を向けている萩崎には、誰がはいってきたかはわからない。が、洋吉に銚子を向けていた萩崎には、洋吉の顔の動きがわかった。顔を合わせたくない人間がはいってきたことに、いち早く気づいたのだ。

洋吉の思いとはかかわりなく、糸川きょうだいは入口に近いすぐ隣りの席にはいった。こんな時、背丈ほどもある衝立は役に立った。

「校長先生、わたしは古いんでしょうかねえ。飲み屋で教え子に会うのは、どうも苦手でしてね」

隣りにはいったらしい動きを察して、萩崎は声を低めた。

「いや、全く。実は今、顔を合わせたくないのが、隣りに……」

「わかりました、出ましょうか」

更に萩崎が声をひそめた。

「いや、今立ってはまずいでしょう。連中が帰るまで、ひっそりとやっていましょうや」

出口に出るには、いやでも隣りの席の前を通らねばならないのだ。

「どうも申し訳ありません。とんだところにご案内して……じゃ、校長先生、こちらにどうぞ」

萩崎は自分の席を洋吉に譲った。洋吉はこそこそと背をまるめて、萩崎の席にすわり、ややほっとした。

「やーね。山畑君ったら」

隣りから、少しハスキーがかったみどりの声がした。おや、という顔を萩崎がした。

「何がよう、アサだってあいつと……」

男の声が低くなった。

「ちがうわよ。見当ちがいよ。やーね。ばかにしてるわ」

「どうかな。ほら、アサ、あかくなってる」

　バック・ミュージックのソーラン節と、他の客たちの話声がいくつも重なり、賑やかな店の中では、何を話していても、他の客が耳をすましているということはほとんどない。が、今の洋吉と萩崎の場合はちがっていた。萩崎が大きな目を片よせて隣りの声に聞き耳を立てていたが、顔をつき出して洋吉にいった。

「校長先生、隣りの女の声は、どうやら、わたしの教え子のようですが……。もしかしたら、一度校長先生を学校に訪ねてきた……」

「そうです。糸川みどりという……」

「いや、糸川みどりじゃありませんよ。今も男がアサアサって呼んでいましたでしょう。あの時も、わたしはもしかしたら、教え子の木久川亜紗じゃないかと思って申しあげましたがね。今の声はやっぱり木久川ですよ」

　萩崎は、すばやく手帖に木久川亜紗と書いて示した。

「木久川？　糸川じゃありませんか」

「いや、木久川です。もっとも女の子ですからね。結婚したとなると糸川になっても、ふしぎはありませんが……」

　地声が大きいのか、男の声がまた聞えた。

「ということは、亜紗にとって、いったいどういうことだよう」

「どういうことでもいいじゃない」

萩崎は、

「やっぱり亜紗ですよ。木久川亜紗ですよ」

とうなずいた。

男が山畑とかいう名であることは、不二夫と弘子が、栄介にいっていたことで洋吉も知ってはいた。が、依然として、洋吉にとって二人はあの忌まわしい「糸川みどりとその兄」であった。

「どんな家庭の子ですか」

「なに、父親は市内のある建設屋につとめている平凡な家庭ですがね」

「平凡なね」

一見平凡に見える家庭に育っても、名前を詐称して暴力団の男と共に、恐喝に来る娘に育つものかと、洋吉はふしぎに思った。が、教育者の自分の息子が、その女とかかわりがあることには、さほどふしぎに感じてはいないのだ。

「性格はどんな子ですか」

「子供の頃は無邪気な、素直な子でしたがね」

「なるほど。そういうのがえてして悪の道に踏みこみやすいものです」

洋吉は校長らしい落ちつきを見せて、大きくうなずいた。が、ろくに料理に箸をつけない。

その洋吉に、

「まあ、召上ってください。気楽になさって……。わたしがいては、何のいいがかりもつけられないでしょうから」

と、酒をすすめた。

「なに、恐れているわけではありませんが、相手がならず者ですからね」

ようやく洋吉のこわばった表情がやわらいだ。

「栄介の奴、おそいなあ」

洋吉は再びぎょっとした。栄介がここに来るのだ。栄介は呼び出されてくるのだろうか。

洋吉には、山畑や亜紗と栄介の関係が、まだのみこめていない。

「あの人はおそいわよ、いつでも」

「しかし、あいつは……」

声が低くなり、木久川亜紗の笑う声が聞えた。

洋吉は落ちつかなかった。栄介のうわさだけは、教頭の耳に入れたくはない。が、一方山畑と亜紗が、息子の栄介とどのような関係か、つきとめたい思いもあった。

　その落ちつかぬ洋吉の様子を眺めながら、萩崎もいささか落ちつかなかった。

「この頃の生徒は、よく骨折しますね、校長先生」

「ああ、あれはどういうことですかね。昔の小学生は屋根からでも飛び降りなければ、めったに骨折などしなかったようですがね」

「骨がもろくなっているんでしょうか」

「そうでしょうね。食べもののせいか、飲みもののせいかわかりませんが」

「わたしたちの小さい頃の飲みものは、井戸水だけでしたね。祭りの時など、せいぜい氷水かサイダーを与えられるぐらいで……どうも今は甘い物が多過ぎますね」

「全くです」

「砂糖はやはり骨に悪いんでしょうな、校長先生」

「全くですな」

「水道の水のカルキくさいのも、どんなものでしょう。あれなども、人体に無害とはいえないと思うんですがね」

「全く、全く」

　洋吉は機械的に相づちを打っていた。先程からの隣りの話が、洋吉の心をかき乱しているのだ。

「……しかし、見上げた野郎よ。手前の親爺から、金をたかれなんていう奴だからな」

「この間もいっていたわ。もう、おやじから絞りとる手はないかなって」

「もう、あいつの手先はごめんだよ」

「わたしは、おもしろかったわよ」

洋吉は息をのんだ。いきなり脳天を一撃された思いだった。あまりにも思いがけぬ言葉であり、信じがたい言葉だった。しかし、

「あいつの手先はごめんだ」

という山畑の言葉は決定的だった。

てっきり糸川みどりとその兄と信じていた二人は、事もあろうに、息子の栄介が父の自分を恐喝しようと差し向けた仲間だったのだ。しかも、校長室にまで乗りこんできて、罵り喚いたのだ。

一瞬、カッと熱い怒りが噴き上げた。衝立を蹴倒し、ものもいわず二人の面をなぐりつけたい思いがした。が、次の瞬間、全身から力の脱けていくようなむなしさが、洋吉の心を襲った。

何ともいいようのないむなしさだった。それは単に、わが子に裏切られた、そむかれたなどと、たやすく言葉に表せばすむようなものではなかった。限りなく地の底に引きずり

こまれていくような、いいがたいむなしさであり侘しさであった。

「校長先生！」

萩崎が呼んだ。

「え？」

「少し顔色がおわるいようですが」

「そうですか。ちょっと頭痛がしましてね」

洋吉は額に手をやった。妙に現実感がなかった。

（教頭にも今の会話が聞えただろうか）

そんなことを考える自分が、自分でもふしぎだった。

「頭痛ですか。それはいけませんね。外の空気に当ったほうがいいと思いますよ、校長先生」

「いや、大丈夫です」

（栄介の手先なら、何も恐れることはないのだ）

洋吉は首を二、三度横にふり微笑した。

「でも、河岸をかえたほうが……」

萩崎も、洋吉の態度から察しをつけていた。

「ありがとう、萩崎先生。せっかくお誘いいただいて悪いんですがね。ちょっと、隣りの連中が気になることを話していましたんでね。わたしも、少々彼らに話したいこともあるものですから、今、しばらく様子を見ていようと思いましてね……」

声を低める洋吉に、萩崎は幾度もうなずき、

「わかりました、わかりました。じゃ、わたしは今日は失礼して……」

「申し訳ありませんね。わがままいって。今日のお詫びはのちほどさせてもらいます。それと、この支払いもわたしが……」

「とんでもない。ここの勘定は、つけですのでご心配なく」

「いや、それはいけません」

「いやいや、では、お大事に」

萩崎は如才なくいって、靴をはくと、木久川亜紗に顔を見られぬように、カウンターのほうを見ながら、そそくさと出て行った。

一人になった洋吉は、藤色の壁紙を貼ったひんやりとした壁に左肩をよせながら、ほっと吐息をついた。あたりがざわめいてきて、山畑たちの声が、少し聞き取り難くなった。

洋吉はふいに、栄介の生まれた日のことを思い出した。からりと晴れた日であった。初産とは思えぬほどに軽いお産で、産気づいたかと思うと、それからどれほどもたたぬうちに栄介は生まれた。男の子と聞いて喜ぶ洋吉に、産婆はいった。

「きっと親孝行な坊ちゃんになりますよ。お母さんに痛い思いをかけないで、生まれてきて」

その言葉を、当時洋吉は同僚に誇らしげに伝えたものだった。

一人になると、改めて、栄介への憎しみとも怒りともつかぬ思いが、むらむらと心の底から湧いてきた。

「ただではおかないぞ！」

洋吉は口に出してつぶやいた。

帰りがけに、萩崎がいいつけて行ったのか、印半纏の少年が、銚子二本と、ほっきのバター焼、ほたての刺身などを運んできた。

「しかし、あいつはケチだなあ」

酒のまわったらしい山畑の声がした。

「いいじゃないの。お金で人の歓心を買おうとしないのだもの」

「ちぇっ！　いかれてるぞ、亜紗」

「そんなことはないけどさ」

「紀美ちゃんは、かわいそうに亜紗とあいつのことは知らなかったんだろう」

紀美ちゃんという名に、洋吉ははっとした。

会話がちょっととぎれた。タバコでものんでいるのだろう。と思ったが、すぐにまた聞えてきた。

「死んだら終りだな、人間も」

「生きてたって、どうっていうこともないしねえ」

「亜紗らしくないことをいうぜ」

「だってさ、人間って、結局は死ぬんでしょう」

「当りまえだよ。人間いつかは死ぬさ。ところでどうやら、栄介の奴に待ち呆けをくわされたな」

「くるわよ、遅くても」

「そうかなあ」

「こない時は電話よこすわよ。スッポカシはしないわよ、彼って」

「ふーん、信じてます、か」

山畑が笑った時、

「いらっしゃい！」

と、板前が大きな声をあげた。

「ほら！　来たじゃない」

弾んだ亜紗の声がした。洋吉の顔が緊張した。

「遅かったじゃないか」

「すまん、すまん。すまじきものは宮仕えだよ。帰りぎわに客がきてさ。これでも急いできたんだ」

機嫌のいい栄介の声がした。洋吉は、盃をあおった。

店内の客たちの話声も、バック・ミュージックのソーラン節も、もはや真木洋吉の耳にははいらなかった。衝立一枚へだてた隣りの席に、洋吉の全神経は集中した。

「すっぽかされたって山畑君がぼやいていたのよ、栄介さん」

木久川亜紗が甘えるようにいう。

「俺は今まで一度だって、そんなことはしたことがないはずだ」

「そうよ、栄介さんは約束を守るわ」

「とも、限らんさ、真木さんは。結婚すると約束した女は何人もいるはずだからね」

「いやなことをいうなよ。まずビールだ」

洋吉は目を宙に据えたまま、耳をそばだてていた。栄介の声に今日ほど生理的な嫌悪を感じたことはない。

「その後、どうなったの？　例の姐御は」

山畑の声がした。

「ああ、摩理か。まあ、徐々にやってるよ」

「徐々にとは、またお手やわらかだなあ。あの女には、さすがの真木さんでも手が出ないのかなあ」

「失敬なことをいうなよ。あの女にキリキリ舞いをさせられて、だらしなく逃げてきたのは山畑じゃないか」

「だってしようがないよ。あの女はでんと落ちついてさ、長浜屋の摩理だよ、知ってるだろう？　なんて、ぞっとするほどいい目で、こう見るんだ。しかしあれが、本当にしろうとかなあ」

「しろうとだよ。何の苦労もしていない娘だ」

「栄介さん、好きになったんでしょう、また」

「べつに好きじゃないよ。ただ、凄いダイヤモンドを持っている女だということさ」

　栄介の言葉に、洋吉は、摩理の白い指にきらめいていたダイヤの指輪を思った。家が一軒建つほどの値段だという大きなダイヤモンドである。父親を脅して金をとろうとしたほどの栄介なのだ。今また摩理に、何を企てているのかわからない。

　ふいに三人の声が低くなった。洋吉は衝立に耳をつけるようにして酒を飲んだ。少しも酒はうまくない。が、飲まずにはいられない不安に洋吉は捉われた。

「おやじはおやじさ。俺には俺の人生があるからなあ」

　あまり大きな声ではないが、栄介の言葉がはっきりと聞えた。その言葉を聞いた途端、洋吉は妻の勝江の無表情な顔を思い浮かべた。栄介には、自分の血よりも、妻の血のほうが色濃く流れているような気がした。

（あんな女だから……）

　洋吉は鼻を強くこすった。もっと心のやさしい女と結婚していたならば、栄介のような人間は生まれなかったような気がする。

（いやな奴だ！）

　妻にともなく、栄介にともなく、洋吉は心の中でつぶやいた。

「ああ、天からお金が降ってこないかしら。ね、栄介さん」

　亜紗は少し酔っているようだった。

「金は天下の廻りものさ」

「そうかしら。あるところにはあるけれど」

「頭のつかい方じゃないかな、真木さん。この間聞いた話だけれどさ、印鑑盗用して、土地も家もそっくり頂き！　っていう奴がいたそうだよ」

「ふーん、印鑑盗用か」

考えこむような栄介の声が低く聞えた。非情な栄介である。印鑑盗用でも、文書偽造でも、平気でやってのけるだろう。

（ビタ一文やるものか！）

冷えたおでんの豆腐を、割箸で四つに分けながら、洋吉はむらむらと殺意に似た憎しみを感じた。

（世間体さえなければ……）

自分は栄介に何をするかわからぬ、と洋吉は思った。

「ねえ、次の日曜日は石狩の河口に行かない？」

亜紗の声がした。

「石狩はいやだな」

にべもなく栄介がいった。

「じゃ、どこへ行くの」

「どこにも行かないよ、当分は」

「まあ、ひどい。例の摩理とかいう人と遊ぶつもり？」

何か低く栄介が答えた。山畑と亜紗の何かいう声もした。

「……というわけか、真木さん」

「そういうことだ」

「さすがは真木さんだよ」

山畑がいうと、亜紗がややヒステリックに笑って、

「どうだか、わかりゃしないわ」

といった。

「怒るなよ、亜紗。その代り、これからいいところに連れてってやろう」

栄介の立ち上る気配がした。

「あら、もう行くの。どこへ行くのよ」

「だまってついてこいよ」

靴をはいた栄介が、先に立って出て行った。少しおくれて亜紗と山畑が出て行った。

「ありがとうございました」

元気な声がした。


どのくらい洋吉はぼんやりとすわっていたことだろう。立ち上った時、頭の一部がしびれているようであった。

店を出た洋吉は、どこへともなく歩きだした。背を大きく刳《えぐ》ったピンクのドレスを着た

若いホステスが、洋吉を追い越して行った。まるい腰がくりくりと動いている。酔客が二人肩を組みながら、

「愉快だ、全く愉快だ」

と、どなるように叫んですれちがった。街角にあるイカとトウキビを焼く屋台の傍に、洋吉は立ちどまった。自分もまた、何か大きな声で叫び出したい衝動にかられた。が、何と叫べばよいのかわからない。

「栄介の馬鹿野郎！」

そのぐらいの言葉でおさまる思いではなかった。胸を突き上げてくる思いは、言葉にならなかった。獣のように、長々と吠えたかった。

が、洋吉は吠えることも、叫ぶこともできなかった。洋吉はペッと、唾を歩道に吐いた。

「あら、不潔！」

男の腕に手を絡ませて歩いてきた若い女が、眉をひそめた。洋吉はじろりと女を見た。

(何が不潔だ)

ミニスカートから、はちきれそうな太ももがむき出しになっている。そのうしろ姿を見送りながら、洋吉は再び唾を吐いた。

やりきれない思いが、胸にもやもやとしている。その思いを、誰にでもいい、洋吉は吐

き出したかった。と、三十近い女が近よってきた。一見、人妻のような印象だった。

「遊びません？　おにいさん」

「遊ぶ？」

若草色の着物を衿もともきりりと着ているが、胸がふっくらと豊かだった。

「ええ、わたしの家は、すぐそこよ」

人なつっこい笑いを女は浮かべた。

「何をして遊ぶんだい」

「まあ、いやな方。男と女が遊ぶんですもの、決ってるじゃない？」

「しかし、ダンナがいるんだろう」

「そんな厄介なものがいるわけはないわ」

「そうは見えない」

「しろうとにつくってるからよ」

目の下にうすいくまがあった。この女と一夜遊んでもかまわないような不埕な思いが、洋吉にもあった。だが、ひょんなことから警察に挙げられないものでもない。自分は教育者でもあり校長である。つまらぬことで新聞沙汰にでもなっては大変だった。洋吉は世間が恐ろしかった。

「ドライブでもいいだろう」

「いいわ」

女の声が弾んだ。

「いくらだ」

「いやあねえ。七千円ぐらいでいいわよ」

洋吉は手をあげて、タクシーを拾った。

「藻岩山へ」

洋吉が行先を命ずると、女はぴったりと洋吉に身をよせてきた。洋吉は女のやわらかい肩を抱いた。勝江の体とはちがって、骨のないような、やわらかい感触だった。

見知らぬ女を抱いているという感じはなかった。女は大胆に片足を洋吉の膝の上にあげた。栄介に対する憎しみが、女の肩を抱いただけで、霧散するとは思えなかった。が、洋吉の心はいくぶん静まっていた。

女の着物の身八つ口から、指をすべらすと豊かな胸に触れた。女はいっそう洋吉に体をすりよせていった。

「あなたはどんなお仕事をしていらっしゃるの」

「何に見える?」

時折、街の灯が車の中を明るくした。が、洋吉はいま、大胆になっていた。栄介への抑圧された憎しみが洋吉を大胆にさせていた。洋吉は指先に力をこめて、女の胸をまさぐった。

「そうね、道庁か、どこかのお役人？」

「ほう、役人に見えるかね」

「それとも、学校の先生？」

「それはまた、ずいぶん堅く見えるんだね」

内心ぎょっとして、胸をまさぐっていた手をとめた。

「あら、学校の先生って、そう堅くはないわ。わりとエッチよ」

「じゃ、わたしもそう見えるかね」

「それほどでもないわ」

女は、洋吉の膝にのせていた足に、ちょっと力をこめた。

「わたしは農家だよ」

「あら、本当？」

女は洋吉の顔をまじまじと見た。

「うそよ、日焼けしていないわ」

「土地の売り食いをしているんだ」

「まあ、じゃ、景気がいいのね」

「いや、それほどでもないがね」

　女のやわらかな胸にふれながら、こんなふうに女と遊ぶ遊び方もあったのかと、洋吉はふしぎな気がした。洋吉は、女と遊ぶということを、ほとんど知らなかった。女が嫌いなわけではない。特に遊びたいと思ったことがなかったのだ。

　それに、妻の勝江でまにあうものを、何も無駄に金をつかうことはないという気持もあった。少しでも多くの財産を子供たちに残したいと思ってきたのだ。だがいまは、金は生きている間に、自分のために使ってしまいたいという思いになっていた。

　いままで、したいこともしないで、実直に生きた毎日だった。それが、にわかにばかばかしく思われた。弘子と不二夫にはともかく、栄介には一銭の金も残したくはなかった。

「でも、いいご身分だわ」

「そうかね」

　女は目をつむって、洋吉の肩に頭をもたせかけていた。運転手は客には無関心のように、話しかけもせず黙って車を走らせている。カーラジオからは流行歌が流れていた。

　ふっと、洋吉は行きずりのこの女に、栄介のことを話してみたい思いにかられた。

「わたしは、実は少しばかり財産があるんだがね。財産のあるのもよしあしだね」

「でも、ないよりはいいわ」

「そうかねえ。わたしの息子は、ひどい息子でね。暴力団のような男を手先に使って、わたしから三百万ほど、脅し取ろうとしたんだよ」

「まあ！　息子さんが！　信じられないわ」

「信じられないだろう。全く呆れた話だからね」

「本当の話なの？　じゃ、そんな息子は勘当したらいいじゃない？」

「なるほど、勘当という手があったかね」

「わたしなら縁を切るわよ。そんなの、息子じゃないわ。親を何と思ってるのかしら」

　腹立たしげに女はいった。

「何とも思っていないだろう」

「そんな息子さん、いっちゃ悪いけど、金のためには親の首ぐらいしめかねないわよ」

「なるほど」

　栄介なら何をしでかすかわからないと洋吉も思った。

「息子さんは、その人、ひとりなの？」

「いや、他の息子はやさしいが」

「どうしてそんな子が生まれたのかしら。わたしも、あまり親孝行じゃないけれど……。でも、毎月一万は親に送るわよ」

「ほう、それはえらいね」

「えらいなんていえないけれど……」

身を売った金を送っているのは、親孝行か親不孝かわからないと洋吉は思ったが、

「いや、親に少しでも金を送るその気持はえらいよ」

とほめた。

「ねえ」

女は洋吉の頬に、その白い頬をすりよせ、そして耳もとに唇を近づけ、

「そんな息子、わたしなら殺すわ」

「え？　殺す？」

「わたしって激しいのよ、性格が」

女は笑った。洋吉は女がむきになって栄介の所行を怒ってくれることで、心が慰められた。

しかも、

「殺すわ」

といったその言葉が、自分の耳に快かったことに、内心驚いた。

車はいつしか藻岩山の下を走っていた。家が少なくなり、あたりは暗かった。

女は手を洋吉のももの上においた。

「ねえ」

女が再びささやいた。女の体がぴったりと洋吉に密着している。だが洋吉はさすがに、胸のあたりに触れる以外はためらわれた。運転手が目の前にいるのだ。いつ、うしろを振り向かないものでもない。

車は山の入口にさしかかった。ヘッドライトを遠くに投げかけながら、車は登って行く。洋吉はこの女をつれて、どこかに旅をしてみたいと思った。

「あんたの親ごさんはどこにいるのかね」

「わたしの？　九州よ。九州の長崎なの」

「じゃ、長崎の生まれ？」

「ううん、生まれは四国の徳島よ」

「ひとりだけ、北海道に来たわけだね」

「結婚したのよ。長崎で結婚して、いやなことがあって逃げてきたのよ」

「いやなこと？　ダンナに女でもできたというわけかね」

「ちがうの。会社の金を使いこんだりしたのよ。かけマージャンなんかして……」

「なるほど、かけマージャンか」

「かけごとをする男って、だめね。人情がないわ」

「そうかね」

「そうよ。女房より金が大事なんだもの」

　憎々しげに女はいった。

「なるほどね」

「金が何よりも大事な人間って、嫌いだわ、冷酷で」

　栄介を殺すといった穏やかならぬ先ほどの言葉も、女の過去の生活がいわせていたのだ。

　車は右に左にカーブをまがりながら登って行く。左手に北の沢の家々の灯が見えた。その灯の中には、教頭の萩崎の家の灯もあるはずだった。

　もしかしたら、教頭は木久川亜紗と山畑の会話から、栄介との関係を察知したかもしれない。いや、それよりも、木久川亜紗を訪ねて、さりげなく栄介のことを聞き出すかもしれない。あの教頭は、そういうことをしかねない男だと思った。

　その萩崎の口を封ずるためには、早めに栄転の運動をはじめてやらねばならない。小さな学校でもよい。市内の中学の校長になれば、萩崎は恩に着るはずであった。

「何を考えていらっしゃる?」

「うん、街の灯がきれいだと思ってね」

「でも、灯がきれいだからって、どうということもないわ。あの灯の下で、幸福に暮らしているとは限らないもの」

女は少し捨てばちな口調になった。

と、車が大きくカーブしようとして、突然急ブレーキがかかった。洋吉たちの乗っているタクシーと、対向車が同時にブレーキをかけたのだ。

対向車がセンターラインを越え、かなりの速度で降りてきていたのだ。わずかの間隔をおいて、車は危うく停止した。女と共にぐらりと前方に倒れかけた洋吉は鼓動のとまる思いだった。

万一、どこの女とも知れぬ女と同乗していて、交通事故にあったとしたら、それこそ洋吉の面目はなかった。長い教員生活の間に、不祥事を起して辞めて行った幾人もの先輩、同僚のことが目に浮かんだ。

頂上で車を降り、きらめく札幌の灯を眺めながらも、洋吉の鼓動は落ちつかなかった。洋吉はしきりに鼻をこすった。それは、彼の不機嫌のしるしでもあり、動揺のしるしでもあった。

石狩河口

石狩河口

花畔という小さな街を、バンナグロと土地の人々は呼ぶ。札幌からおおよそ十キロ余り、石狩の海に向う途中にあるバンナグロを、弘子を乗せた今野の車が、いま過ぎつつあった。

ほどなくその家並も果て、ポプラやドロの木の間越しに、石狩川が右手に見えてきた。幅二百メートルはあろうか。悠々たる流れであった。六月の空は青く晴れているのに、その青も写さぬ泥色の水が、ところどころ鈍く光って流れている。

川を見て、弘子は思わず目をつむった。弘子の手には、白いカーネーションと黄菊の花束がかかえられていた。西井紀美子が死んで、半年は過ぎた。紀美子の死体が流れついたという石狩に、弘子は今野と共に花束を持って訪れることにしたのである。

やがて、潮風にさらされて赤茶けたトタン屋根の並ぶ石狩の町に車ははいって行った。石狩街道に沿って、両側に細長く低い家並がつづいていた。埃のしみた羽目板の家々の中に、石造、瓦屋根の古い家も見える。

　この街から馬橇に乗って、雪の日に札幌の西井市次郎のもとに嫁いだという紀美子の母は、どのあたりに育ったのであろうかと、弘子は感慨深いまなざしを家々に向けた。左手に砂丘のつづくこの街は、何かされざれとした侘しい街であった。かれいを軒に干した家も、二、三軒、目にとまったが、漁師の街という感じもない。

「渡船場に行って見ようか」

　今野が、きりりとしまった顔に微笑を浮かべて、助手席の弘子を見た。

「ええ」

　小さな菓子屋のある角を右手に曲ると、トラックや乗用車が五、六台、左手に列をつくってとまっていた。五、六十メートル先に渡船場があった。今野は、渡船場から少し離れた川の畔りに車をとめた。泥色の川の中を、小さな渡船が、七、八人の客を乗せ、水脈をひきながら渡って行く。渡船の発動機の音がのどかだった。

　川幅はいよいよ広く、三百メートルもあるかと思われた。この満々たる川のどこに紀美子の体はあがったのであろう。兄の栄介の非情におしつぶされて、自ら命を絶った紀美子の悲しみが、改めて胸に迫った。

　フェリーボートが近づいてきて接岸した。車が次々に降りてくる。降りきってしまうと、待っていたトラックや乗用車がいれかわりにはいって行く。そして、岸を離れたフェリーが、みるみる川の中央に出て行った。向う岸に緑の野があった。黒い馬が首をのべて草を食《は》んでいる岸に、フェリーは一分とたたぬうちについた。

向う岸の左手に、八幡村の赤や青の低い屋根が、ナラ林越しにちらほらと見える。

「暗い夜だったのかしら」

流れ木が、浮きつ沈みつして流れてくる川をみつめたまま、弘子はつぶやいた。

「暗い夜?」

「ええ」

「ああ、そうか」

弘子が紀美子のことをいっているのだと気づいて、今野はうなずいた。ゴメが一つ、川の上を舞いながら一声啼いた。子猫に似た声だった。

「花はどこで?」

「もっと下流にしようと思うの」

フェリーボートや、渡船の絶え間なく行き交うこのあたりに、花束を捧げる気にはなれなかった。

再び車に乗った二人は、街を出て砂丘の続く河口に向った。

「まあ、きれい！」

砂丘いちめんに、はまなすの赤い花が咲いていた。砂と潮風で、高く伸びることができないのだろう。砂の上に置いたように、はまなすの花は丈低く咲いていた。土曜日のせいか、少し人が多いようであった。多いといっても、広い砂丘に二十人ほどの姿がちらばっているだけである。白い無人灯台の下で、写真をとりあっている若い男女もあった。

大きな乳牛が五、六頭、草のない川べりの砂原をゆっくりと歩いてきた。牛をやり過ごして、二人は車から出た。

「郭公が啼いているよ」

今野がふり返った。

「本当ね。あら、ひばりも啼いているわ」

今野によりそって、弘子は空を見上げた。風のためか、ひばりは上りも下りもせずに、絶えず翼を動かしながら、空中のひとところにとまっていた。

「珍しいね。ひばりが飛びなずんでいるのかなあ」

そっと、今野の手が弘子の肩に置かれた。花束を持った弘子は、

「何だか紀美子さんに悪いみたい。幸せすぎるわ」

と今野を見上げた。

その時、五十メートルほど離れた砂丘の上に、腰をおろして、じっと二人の様子に目をとめている西井治の姿があった。

治は、今野と弘子の二人が、今日ここにくることを知っていた。今朝、志村芳之が市次郎に、

「叔父さん、今日の午後、今野は弘子さんと石狩河口に行くそうです。紀美子ちゃんのために花束を捧げるのだといっていましたよ」

といっていたのだ。市次郎を誘うには忍びないので、二人だけで行くといっていたとも、志村はいった。

それを聞いて、治はかっとした。

(いまさら、花束を川に投げいれて何になる!)

そんなことをしても、半年前に死んだ紀美子が生き返るわけではない。取り返しようがないのだ。花束をかかえた弘子が、今野とよりそって立っている姿を想像するだけで、治は不快だった。

今野は、幾度か志村を訪ねて西井家に遊びにきている。そのさっぱりとした気性には、治も反感を持つことができなかった。共に将棋を指したこともある。が、その今野と弘子が、恋人どうしであることには、こだわっていた。

冬の夕方、西井家を訪ねてきた弘子を、冷たく追い返したのは治である。治はその時の、

ひどく素直な弘子の態度が心に残っていた。憎い栄介の妹だとは思っても、打ちしおれて帰って行った弘子の姿が妙に忘れられないのだ。弘子を傷つけてしまったという思いがいつまでも治の胸の中にしこっている。それがまた栄介への憎しみをかき立てるようで、治の弘子に対する感情は複雑だった。

一人でぼんやりしている時、ふいに弘子の姿が目に浮かぶことがある。ぬれたような黒い瞳が、悲しげに治をみつめているのだ。治はあわててその面影をふり払うが、時には、その面影をじっと思い浮かべていることがある。

志村に呼ばれて、中華料理店に行った時、そこに思いがけなく弘子の姿を見て、憤然と飛び出したことがあった。が、それは必ずしも真木栄介の妹である弘子が憎かったからとはいえないのだ。

いま、今野と肩を並べて川岸に立つ弘子の姿を見る治の心は、いっそう複雑だった。五十メートル離れている治に、今野も弘子も気づいてはいない。はまなすの花の赤くちらばる砂丘に腰おろして、治は暗いまなざしを二人に投げていた。弘子は、離れて見ても美しかった。今野の顔を仰ぐしぐさも、花束をかかえている手も、歩き方も、うしろ姿も美しい。

(栄介の妹が……)

その恋人と幸せそうに川べりに立っている。が、紀美子は死んだのだ。栄介の妹に幸せを許すことはできないと、治はいままた思った。弘子を幸せにしておくことは、死んだ紀美子を、もっと不幸に突きおとすような気がするのだ。

弘子がいつのまにか、父の市次郎とも、従兄の志村とも親しくなっていることにも、治はこだわらずにはいられなかった。自分一人が疎外されているような気がするのだ。その思いもあって、今日、治は、石狩まできてしまったのかもしれなかった。

治は二人の姿を眺めながら、自分の中に黒い嫉妬の炎が燃えあがるのを感じた。そんな治の視線が注がれているとは、むろん今野と弘子は、夢にも思わぬことであった。

二人が川原に立ちどまって黙祷し、花束を川に投げこんだ時、治の唇は歪み、目がいっそう暗くかげった。

花束は、投げた所にとどまっていて、流れて行こうとはしない。

「どうしたのかしら?」

「満潮かもしれませんよ」

今野のいうとおりかもしれなかった。花束は流れるどころか、押しもどされさえして、そこにあった。

「何だか、紀美子さんが、あの下にいるみたい」

今野は黙って、花束をみつめた。

「ね、そうお思いにならない?」

「弘子さん!」

少しきびしい今野の語調だった。

「なあに?」

「これであなたは、紀美子さんのことは忘れるんですね」

「どうして?」

「九月には、君はぼくのお嫁さんだ。あんまり悲しいことは、一応忘れてきてほしいんですよ」

「ええ……」

「あなたが、紀美子さんのことを思う気持はやさしいし、そんなやさしさはぼくも好きだ。しかし、紀美子さんのことは、あなたの責任じゃない」

「そうね。兄の責任ですものね」

「そう。だから、明るい気持のままで、お嫁さんになってほしいんだ」

今野は弘子の手をとって歩き出した。弘子は、まだひと所に漂っている花束をふりかえった。

少ししめった川べりの砂は、堅くしまっていて歩きやすかった。風が、羽織っていたカーディガンの裾をめくった。

「風にさからって歩くって、感じがあるねえ」

「ほんとうね」

生きて行くというのは、風に立ち向って行くことかもしれないと弘子は思った。

百メートルほど向うに、海がひらけ、その中に石狩川が濁流を吐き出していた。

「海の匂いじゃないね」

何か饐《す》えたいやな匂いがした。浜に少女が二、三人、声を立てて騒いでいた。

波打ちぎわに打ち上げられる蟹を棒で引きよせようとし、それを波にさらわれては騒いでいるのだ。蟹は青ざめた無気味な色を呈していた。この河口であがる溺死体には、蟹がむらがっていると聞いたことを、弘子は思い出した。紀美子は河口までは流れてこなかったようだが、青い蟹が、横に逃げて行く姿を眺めながら、弘子は心が晴れなかった。

「何を考えてるの？」

「ううん、何も。この海の向うには、他の国の人々が生きているのねって」

「なるほど。見えないものを、感じとる人なんだなあ、弘子さんって」

弘子の心が晴れない理由はほかにもあった。昨夜の父の言葉が心にかかっていたのだ。

昨夜、洋吉は晩酌をしながら、機嫌よくいった。

「弘子。嫁入りに必要なものは、何でもいいなさい。遠慮なくいうんだよ」

栄介がそれを聞いて、

「なあに、嫁入りなんて、タンスに鏡台、冷蔵庫に洗濯機ぐらいあれば、たくさんだろう」

といった。が洋吉は、珍しく栄介に挑むようにいった。

「そうとは限らないよ。できたら家も建ててあげよう」

「家だって？　巣はオスの作るものですよ」

「いや、親が用意したってかまわないよ」

「本気ですか、おやじさん」

「もちろん本気だよ」

「じゃぼくも結婚しようかな。でっかい家を建ててもらって」

「お前は、当分結婚する気はないと、いっていたじゃないか」

「心境の変化ということもありますよ」

「そうか。しかしお前は男だ。自分で建てるがいい」

洋吉はそっけなくいった。栄介にたいして、洋吉はたいてい下手に出ていた。が、昨夜の洋吉はどこかちがっていた。たしか、ついこの間までは、長浜摩理と栄介が結ばれることを望む口ぶりであった。が、洋吉はそれも口に出さないのだ。

「自分で建てろって？　先だつものがないじゃないですか。おやじさん」

「お前はたったいま、巣はオスがつくるものだといったろう」

「いいましたよ。しかし、いまは話が別ですよ。弘子に家を建てるくらいなら、ぼくにも建ててくれてもいいじゃないかなあ」

「財産の譲渡は、強制されるものじゃないよ。わたしの自由意志だ」

「しかし、おやじさんが死んだら、どうせぼくたちにくれる財産ですからね」

「死ねばね。死ぬまではわたしの財産だよ」

「ふん」

　音を立ててウイスキーのグラスをテーブルに置き、栄介はじっと洋吉を見た。洋吉もまた、その栄介をまばたきもせずに見た。傍らで見ていて、火花の出るような激しい二人の視線だった。が、先に目を外らしたのは洋吉だった。洋吉のこぶしがぶるぶるとふるえていた。

不二夫はその二人の姿を黙って見ていた。

「死ぬまで、わたしの財産か」

　こばかにしたように、栄介は洋吉の言葉を真似て、

「それは結構なことですよ」

　と、鼻先で笑った。

「栄介！」

洋吉は言葉をあらげた。

「何です？」

洋吉は何かいおうとして唇を動かしたが、ぷいと視線を外らすと、

「弘子、父さんの蒲団を敷いてくれ」

とやさしくいった。

寝室で蒲団を敷いていると、洋吉がやってきた。しばらく黙って、畳の上にあぐらをかいていたが、洋吉はいった。

「弘子、いいか。お父さんが家を建ててやるからね。今野君にいっておきなさい」

「だって、お兄さんが怒ってるわ」

「あれは……あれは放っておきなさい。あいつは人でなしだよ」

「人でなし？」

たしかに栄介は冷酷な人間だった。だが、洋吉が息子の栄介を、そんなふうに非難したことは、はじめてであった。

「あいつはね。お前もよく知っておくといいよ。チンピラに脅迫させて、お父さんから金を巻き上げようとしていたんだよ」

洋吉はかいつまんで山畑たちのことを弘子に語った。それは弘子も、不二夫と語り合ってある程度想像していたことであった。が、洋吉の口から告げられて、さすがに弘子も栄介の持つ恐ろしさを感じないではいられなかった。

さりげなく茶の間に戻ると、栄介が睨《ね》めつけるように弘子を見ていった。

「弘子、お前、おやじさんにゴマをすったな」

「ゴマもみそもすらないわ」

「いま、奥で何を話してきた？」

「何でもいいでしょう」

「とにかく、お前だけが家を建ててもらうなんて、俺は許さんぞ」

グラスに氷をいれながら、

「な、不二夫、お前もそう思うだろう」

と、テレビを見ている不二夫をふりかえった。

「いいえ。ぼくは弘子の家を建てることは賛成ですよ」

「じゃ、俺のはどうだ」

「さあ、それはお父さんしだいでしょう」

「何？　お父さんしだい？　冗談じゃない。おやじがそうなら俺にも考えがある」

陰気な笑いを浮かべて、栄介はウイスキーを飲んだ。

さまざまな汚濁を石狩川は海に注いでいる。そのどす黒い流れが、限りなく海に注がれ、広がっている石狩河口に立っていると、弘子はいやおうなく紀美子の死とからんで、栄介の存在がやりきれないまでに気をめいらせるのだ。

今野と二人でいることは、むろん楽しかった。が、楽しいといいきることのできないひっかかりが、ともすれば弘子の心を占めてくるのだ。

「あと三か月だなあ」

今野は砂原の流れ木を拾ってひょいと海にほうった。

「そうよ。式が九月十三日、ちょうど三か月よ」

「そうだなあ。今日は六月十三日。ちょうどあと三か月か」

「あのね……」

「何です?」

「怒らないでくださる?」

「さあ、怒るべきことなら、怒りますよ」

西井治が、砂丘をぶらぶらと歩きながら、二人を遠くから眺めていることに、やはり二人は気づいてはいなかった。

石狩河口

トロイメライ

トロイメライ

銀行の駐車場に車をおくと、不二夫は腕時計を見た。三時五分前である。不二夫は得意先係なのだ。無口な自分には、外交は向かないと思うのだが、不二夫の成績は意外とよかった。

おずおずと得意先の玄関の戸をあけて、ていねいに挨拶をして、控えめに用件を切り出すだけなのだが、そんな不二夫を人々はかえって目にかけてくれた。

「強引にいわれると断わりやすいんだが……」

という男や、

「あなたを見ていると、誰か他の人にも紹介してあげなくてはと思うのよ」

といって本当に友人を紹介してくれる女たちもいた。

それは、単に不二夫が控えめだというだけではなく、清潔で優しく、そして誠実な人柄でもあるからだった。が、今日は思うように勧誘ができなかった。訪問した先が、小雨の降っている日にもかかわらず、申し合わせたように留守だったのだ。つきのいい日も悪い日もあると、充分に知ってはいても、やはり疲れを覚えて、不二夫は銀行のドアを押した。

閉店時刻の三時で、シャッターがおろされはじめていたが、銀行の中はまだ賑わっていた。長椅子には待ちくたびれたような顔が並び、その客をマイクで呼び出す声がかち合っている。

不二夫が客たちの前を、頭を下げながら通り過ぎようとした時、

「不二夫さん」

と呼ぶ女の声がした。ふり返ると、ぶどう色のレースのスーツを着た長浜摩理が、微笑を浮かべて椅子から立ち上った。

「ああ、どうも……」

摩理が銀行に現れたとしても、思いがけないことではなかった。が、不二夫はどぎまぎした。

「あなたをお待ちしてたのよ」

「はあ、それはどうも」

行員や客たちの視線が集まっているようで、不二夫はぎこちなく答えた。摩理はかまわず不二夫に近づいて、ささやくようにいった。

「ビジネスよ。あなたの。僅かだけれど定期預金をしたいの」

「それは、ありがとうございます」

いつも摩理に距離をもって対している不二夫も、いまの場合、摩理の好意は嬉しかった。

不二夫は、片隅の衝立でへだてた応接用の椅子に摩理を誘った。

「本当にありがとうございます」

他の視線からさえぎられて、不二夫はようやく落ちついた。

「喜んでくださる?」

「それはもちろんです。特に今日は成績が悪くて、がっくりきていたところですから」

「そう。それならわたしもうれしいわ。でも、不二夫さんのうれしそうな顔を見るためには、預金をするしかないとしたら、大変ねえ」

「そんな……」

摩理に対しては、つとめてぶあいそうにしているのだ。なぜか不二夫自身にもよくわからない。

摩理は横目でちらりと不二夫を見、しなやかな指でハンドバッグの口金を開けた。スーツと共布のレースのハンドバッグだった。

女子行員がお茶を運んできた。

「とりあえず百万ね」

紙袋のまま、摩理は不二夫の前においた。

「百万？　そんなにですか」

摩理はまだ二十四、五の若い娘である。定期といっても、一万か二万だと不二夫は思っていた。額の多少はともかく、不二夫はその好意が嬉しかったのだ。それが百万と聞いて不二夫は驚いた。

「百万じゃいけないの？」

「いいえ、ただ……」

「ただ、何ですの」

「お若いあなたには、ふさわしくない金額だと思って……。もっともご両親がお金持だそうですから」

「不二夫さん」

改まった声だった。袋から出した札を器用に数えはじめていた不二夫が摩理を見た。

「そのお金、どんなお金だとお思いになる？　親からもらった金じゃないわ」

「絵でもお売りになった？」

「まだそんなに描いてはいないわ。札幌に来て四か月ですもの」

「そうですか」

「おわかりになる?」

「さあ、わかりかりませんね」

「指輪よ。オパールの指輪を売ったの」

「指輪を?」

「そうよ。指輪を売ってでも、不二夫さんのうれしそうなお顔を見たかったのよ。かわいそうね、女って」

答えようがなく、不二夫は札を数えなおした。その不二夫を見る摩理の目が、茶目っぽく笑っている。

「確かに百万ございます。期限は一年にいたしましょうか。それとも……」

「一年にしてください。でも不二夫さんって、ひどい人ね」

「少々お待ちください。恐れいりますが」

不二夫は事務的に、しかしていねいにいって立って行ったが、すぐに書類を持ってきた。

「摩理さん、印鑑を拝借できませんでしょうか」

「どうぞ」

摩理は、象牙の印鑑を前においた。

「証書を作らせますので、少しお待ちいただけますか」

「どのくらい？」

「十分か、十五分かかると思いますが」

「もっとゆっくりでもいいわ。その間、あなたはわたしのお話相手をしてくださる？」

「はあ」

　ちょっと頭をかき、書類に捺印すると、不二夫は女子行員の所にそれを持って行った。

　再び不二夫が戻ってくると、摩理は足を大胆に組みかえた。すらりとした脚線である。向い合ってすわった不二夫は、じっと自分の膝に目をおとした。

「わたしね、不二夫さんに伺いたいことがあるの」

「何でしょうか」

「それはね、なぜあなたはわたしを敬遠なさるかということよ」

「べつに敬遠なんて……」

　口ごもる不二夫に押しかぶせるように摩理はいった。

「敬遠してるわよ。なぜなの。わたしはその理由を伺いたいの」

　行員たちの席から離れているとはいえ、摩理の質問は場所柄をわきまえていない。しかも摩理は、充分それを承知でいっているらしい。声だけは低かった。

「ぼくは……人が苦手なんです。あなたばかりじゃなく……」

「あら、そうなの、わたしだけを敬遠しているわけじゃないのね。それは、つまらないことね」

「え？」

「あなたにとって、わたしは少しも特殊な存在じゃないのね。十把《じっぱ》ひとからげなのね。わたしはまた、わたしだけが敬遠されていると思っていたの。それで、ちょっと自惚《うぬぼ》れてもいたの」

「………」

「本当は不二夫さんはわたしを嫌いではない。だから、わざとわたしを無視していると、自惚れていたの」

「ぼくは……人間が恐ろしいんです」

「なあぜ？」

「人間って傷つきやすいでしょう。傷つけはしないかと思うと、恐ろしいんです」

「それで、人を避けて、いつも黙りこくっていらっしゃるの？」

「まあ、そうです」

「黙りこくっていたら、人は傷つかないと思うのね。不二夫さんって、あなたは、だまっていてわたしを傷つけたわ」

摩理は、ぴたりと真正面から不二夫を見た。

「……それは……」

「無視するというのは、ひどく傷つけることなのよ。あなたには、それがおわかりにならない？」

「しかし……」

「第一ね、不二夫さん。傷つけまいとすることも、あなたのようになっては傲慢よ。人間は弱いんですもの、傷つきやすいものよ。傷つけまいとして、人とろくに口をきかない存在なんて、目ざわりよ。至らぬために傷つけ合うことはあっても、それは仕方がないんじゃない？」

「……」

「日本中の人々があなたのようにだまりこくってごらんなさい。淋しい世の中になってしまうわ」

「そうかもしれませんね」

「あなたは傷つけないというより、傷つきたくない人なのよ。意気地なしの。傷ついたら、人をゆるせない人なのね。そういう傲慢な人なのよ、きっと」

「手きびしいですね、摩理さんは」

「あなたみたいな人は、わたし大きらい！」

低いが、はっきりと摩理はいい、

「大きらいなのに、大好きなの。ばかね、わたしって」

と自嘲した。不二夫は何と答えてよいか、わからなかった。と、その時支店長が証書を持って現れた。小さな地方銀行である。百万の定期預金をする客は、大切な客であった。

支店長は名刺を出し、

「本日はどうもありがとうございました」

と、頭を下げた。内心摩理の美しさと若さに驚いているようであった。百万の定期をできる年齢ではない。

「ぼくの隣りに住んでいらっしゃって、画家なんです」

「ほう、画家ですか」

いっそう支店長は驚いた。

「でも、今日のお金は、わたしの指輪を売ったお金でございます。絵とは何の関係もございませんわ」

親しみをこめたまなざしで支店長を見、摩理は無邪気な笑顔を見せた。

「あなたの絵を一度見せていただきたいものですね」

「ごらんにならないほうが、よろしゅうございます。きっとお求めになりたくなること請合ですもの」

「そうおっしゃられると、なおのこと拝見したいですな」

支店長もうちとけた語調になった。僅か一言か二言交えただけでたちまち親しく話し合う二人を眺めながら、不二夫は改めて、長浜摩理をふしぎな女性だと思わずにはいられなかった。

支店長と摩理の話が、絵のことに移るのを見て、不二夫は席を外した。机に向った不二夫は、得意先廻りの仕事を整理しながら、摩理の言葉をどこまで本気で受け取ってよいのか迷った。摩理が自分に好意をよせているのを、わからぬわけではない。が、

「大きらいだけど、大好きなの」

という告白は、大胆に過ぎるような気がした。摩理のような外向性の女性は、あのような言葉を誰にでもいうのではないかとも、不二夫は思った。

「傷つきたくない人なのね、傷ついたらゆるせないのね」

といわれた言葉は痛かった。それはまさしく兄の栄介に対する自分の感情であった。幼い時から、栄介に虐《いじ》めつけられてきた不二夫には、兄に対する許しがたい感情をひそかに根強く抱いてきた。その栄介と親しげにふるまう摩理に、不二夫が距離を保っているのは

当然だった。

支店長の高笑いが幾度か聞えていたが、三十分ほど経って、摩理は帰って行った。職員通用門まで出て、不二夫も支店長と共に見送った。

「君、あの子はなかなかおもしろいね。あの子の絵なら買ってやってもいいね」

支店長は機嫌がよかった。


夕食後、不二夫は自分の部屋の窓に立って庭を見おろしていた。いや、庭を見ていたのではない。隣家の摩理の家を見ていた。

朝からしとしとと降っていた雨はまだやまない。長い日もようやく暮れようとする庭の一劃に、雨にぬれた赤白の芍薬の花が印象的だった。

わざわざ今日銀行に訪ねてくれた摩理の好意が、いまになって身に沁みた。会ってゆっくり話したいような気がする。だが、話してみたところで、所詮、自分と摩理とは別の世界に住む人間だと不二夫は思う。

百万ものオパールや、更に高価な大粒のダイヤの指輪をしている摩理の生活に、不二夫は抵抗も感じていた。妻にする女は、あまり派手でない女性がよかった。控えめでいて、いざという時に強靱な女性が好ましかった。一緒に食事をしても、ステーキを平気で食べる女より、カレーライスを食べる女性がふさわしい気がした。自分は一介のサラリーマンである。自分の月給の何年分もの指輪をしているような生活意識を、とても肯定できないと思う。

そう思いながらも、不二夫は摩理が家から出てきはしないかと、窓から見おろしていた。

「お兄さん、どう？　見てよ」

ドアを開け放しにしていたので、弘子が廊下に立ったまま声をかけた。弘子は紺地の単衣《ひとえ》を着ていた。

「ああ、いいよ。なかなか」

「そう？　うれしいわ。でも和服って、苦手だわ。少し着る練習をなさいって、いわれるけど」

弘子は不二夫の部屋にはいってきて、ドアをしめた。

「結婚式は九月だったたね」

「ええ」

「家を建ててもらうことは、どうなった？」

不二夫は窓ぎわの椅子に腰をおろし、弘子は向い合った。

「この間ね、石狩まで今野さんと行ったのよ。そのとき今野さんにいったら、ありがたいけれど、二人の家は二人で苦労して建てようよと、おっしゃるの」

「そう、じゃ、お父さんはがっかりしただろう」

「ええ。でもね、持参金をたくさん持って行けって」

「お父さんは、何としても兄貴には金を残したくないんだからね。親孝行だと思って、何でも買ってもらうさ」

不二夫も、すでに〈えぞっこ〉で洋吉が栄介の悪企みを知ったことは聞いている。

「不二夫名義の土地でも買っておこうかと、いっていたわよ」

「兄貴がわるいよ。自分の親を恐喝させるなんて」

「お母さんが知ったら、どう思うかしら」

「さあ、おふくろのことだから……」

「栄介はそのぐらいのことをやりかねませんよと、つらっとしているかもしれないわね。お父さんはお母さんと栄介には絶対知らせるなというけれど、夫婦って妙なものね」

「兄貴はまだ帰らないんだね」

「もう帰る頃よ。帰ってくれなくても結構だけれど」

「……………」

「あら、栄介兄さんじゃない?」

不二夫の肩ごしに窓を見て、弘子が立ち上った。思わず不二夫もふり返った。

摩理の家の玄関で、ベルを押している栄介の姿が、庭木の向うに見えた。

中からドアがあいた。摩理の顔と右手が見えた。ドアが閉じた。栄介は摩理の家に姿を消した。

「何の用かしら。家にも帰らないで」

不二夫はだまって摩理の家の玄関をもう一度眺めた。

「玄関で立話をしているのかしら」

弘子は気がかりらしく窓外を見ながら、

「摩理さんも摩理さんよ。栄介兄さんなんかを家の中にいれたりして」

「あの人の自由だからね、それは」

腕を組んだ不二夫は、頭を椅子の背にもたせた。

「それは自由だけど……でも、わたし、摩理さんの気持がわからないわ。あの人、栄介兄さんのしてきたことを知っているのよ。知っていて嫌わないのよ。おもしろがっているみたいなの」

「あの人は、おもしろがっているだけの人だよ、誰のことでも」

「そうかもしれないわね。不二夫兄さんにも興味をもっているのよ。そしてちょっと恐ろしがってもいるみたいだわ」

「恐ろしがってる?」

「ええ。摩理さん、いってたわ。栄介さんなら平気だけど、不二夫さんはちょっとこわい。訪ねてきても、きっと家の中にはいれないって」

「………」

「栄介兄さんって、すごく失礼な態度をとるらしいのよ。でも摩理さんはちっとも恐ろしくないんですって。わたし、何だか気になるわ。お隣りに行ってみようかしら。お兄さんも行かない?」

弘子は不二夫の顔を見た。

「隣りに行くって? ぼくは行かないよ、弘子」

不二夫は電灯のスイッチをいれ、窓のカーテンを引いた。

「不二夫兄さんは、摩理さんが嫌いなのね」

「嫌いということもないが……」

「摩理さんが、いってたわ。不二夫さんには好かれようとしても無駄ねって」

着物のたもとを膝の上でもてあそびながら、弘子はいった。不二夫は黙って苦笑した。

「ふしぎだわ」

「何が?」

「だって、摩理さんのようなチャーミングな女性でも、好かれないことがあるなんて」

　ちょっと一呼吸をおいてから、不二夫はいった。

「好きでないといった憶えはないよ。今日あのひと、銀行に来てくれたよ」

「あら！　ほんとう？」

「うん」

「じゃ、やっぱり行ったのね。百万持って行ったら、喜んでくれるかしらって、冗談みたいにいってらしたのよ、このあいだ」

「…………」

「あの人、オパールを売ったのね、本当に」

「うん、そういっていた」

「不二夫兄さん、女が指輪を売って、あだやおろそかな気持じゃないのよ」

「…………」

「真剣なのよ、摩理さん」

「そうかなあ。ぼくには、あの人って、何となくおもしろがってやっているみたいな感じがするんだ」

「損ね、摩理さんも」

あのくらい美しい女性には、かえって男というものは、本気で愛されているとは信じられないのかもしれないと、弘子は思った。

「レコードをかけようか」

不二夫は立って、ステレオの傍に行った。チョコレート色の渋いボックスは、ついこのあいだ、不二夫が買ったばかりだった。

「何をかけてくれるの」

「トロイメライ」

その静かなピアノの音色を聞きいりながらも、弘子は隣家を訪れている栄介のことが気になった。だが、弘子の心の中には、もっと気がかりなことがあった。さっきから、弘子はそのことを不二夫にいおうかどうか迷っていた。

今日のひる、今野と近くでラーメンを食べて局に帰ると、待ちかねていたように電話のベルが鳴った。

「HKS受付でございます」

「もしもし、あなた真木弘子さんですか」

聞きなれない女の声だった。

「はあ、わたくし真木でございますが」

「あなたは、九月に結婚なさるそうですね」

不躾に、いきなり女はそういった。

「もしもし、あの、どちら様でしょうか」

女はそれには答えず、

「今野さんと結婚なさるそうですね。でも、あなたは、今野さんの過去をご存じないのでしょうね」

と、あざけるようにいった。

「え？　今野さんの過去？　いったい何のことでしょう」

「ご存じなければいいんですけど、でも過去のことだけじゃなく現在のこともよく調べてみたらいいと思うわ」

電話はそこで切れた。電話を聞いた時は、誰かのいたずら電話だと思った。気にとめる必要はないと思った。が、時が経つにつれて、気がかりになってきた。

今野に、このような電話がきていたと告げてみようと思ったが、あいにくと午後からスタジオにはいっている。仕事中の今野に、わざわざスタジオにまで告げに行くほどのことでもない。

今野には過去らしい過去はない。大学時代、好きな女性はいたが、それは淡い片思いで、すでに大阪近辺の八尾に嫁に行ったと聞かされていた。それぐらいでは、いわゆる過去とはいえない。

そう思うと、やはりいたずら電話だと思って、少しの間忘れていたが、再びふっと気になった。人間は、時折意外な一面を見せることがある。男らしくさばさばとしている今野にも、人にはいえない生活がなかったとは、いいきれないのではないか。そう思うと、急に心配になって、弘子は帰るまぎわに今野に電話をした。今野は会議中で部屋にはいなかった。

弘子は今野を信じていた。いや、信じていたつもりだった。が、どこの誰ともわからぬ女からの、ばかばかしいような電話一本で、

(……もしや)

という思いが、心の中にしのびこんだ。それは、疑念というほどのものではなかった。が、その思いを全くふり払うことはできなかった。電話を受けるまでは、今野を全く信頼していた。が今は、「もしや……」という思いが、心の中に一パーセントもないとはいえなかった。人間への信頼のもろさを弘子は感じながら、自分自身に腹がたった。今野を百パーセント信じきることのできない自分に、腹をたててもいた。今野を信じながら、あの電話の女の言葉をどこかで信じてもいる自分が、口惜しかった。

「どう？　よかったろう」

　気がつくと、トロイメライの旋律は終っていた。

「そうね。よかったわ。でも……だめね。心にかかることがあると、音楽に浸りきることができなくて」

「気にすることはないよ。兄貴のことなんか」

「栄介兄さんのことも気にかかるけど、それだけじゃないの」

　弘子はやはり、電話のことを不二夫にいった。

「いたずらだよ。誰かが二人をねたんでのしわざさ」

　不二夫は一笑に附した。笑われると、弘子の心も落ちついた。

「わたしも、いたずらだとは思ったのよ。でも、ちょっと気になったの」

「それは気になるだろうけれどね」

「今野さんにいったら、叱られるわね。そんなに信じられないのかって……」

「まあそうだろうね。……しかし、人間って、信じ合わなければいけないが、信じきることの出来ない存在であることも、確かだよ」

「そうかしら。わたしは今野さんを信じきりたいわ」

「だが、信じきっているとは、いえないだろう」

「信じきっていたのよ。あの時までは」

「人間は、神をさえ信じきれない存在だからね」

「神さまより信じていたのよ」

「たいていの若者は、そう思って結婚したり、友情を結んだりするわけだけれどね」

　不二夫はタバコに火をつけ、目をつむってゆっくりと喫った。

「いやーね、何だか不安になってきたわ」

「弘子、信ずるということはね、相手が見えないから信ずるんだよ。わからないから信ずるんだよ」

「どういうこと？　よくわからないわ」

「読んだことの受売りになるけど……たとえば神だがね。神を信ずるといっている人々も、実は神を実証することができない。自分でも認識できない。極端にいえば、いるかいないかわからないが、いると思って信ずるんだそうだよ。いわば、丁か半かさ。賭けなんだね。結婚だって、本当のところはわからないが、信じ得る人間だというほうに賭けて、結婚するわけだろう」

　不二夫は、タバコの灰を、透きとおる緑色の切子ガラスの灰皿に、そっと落した。

「それもそうね」

「いったん賭けたら、賭けつづけることだろうね。今野君は、信頼のできる男だよ」

「ええ、本当に信じられる人なのよ。ほんの少しでも心がゆらいで悪かったと思っているわ」

ようやく弘子は心が安らいだ。

が、安らいだと思った心の中に、また疑念が頭をもたげた。

(あの女は、いったい誰なんだろう)

どんな顔をし、何をしてきている人間なのか。今野をどこで知っているのか弘子は知りたいと痛切に思った。

今野と自分の間には、何者の介入も許さないと思っていた。が、それは思っていただけなのだろうか。弘子は一人の若い女を想像した。今野と何のかかわりもない女が、あのような電話をかけてくるであろうか。それは考えられない。なんのかかわりもないと考えることは、不自然であった。たとえ今野が、その女性に関心がなかったにせよ、女のほうでは今野を深く愛していたということも考えられる。

(それにしても、わたしの名を、どこで知ったのだろう)

今野が、その女性に結婚することを知らせたのだろうか。疑念は次々に湧いた。

「何を考えている?」

「ううん、栄介兄さんは、まだお隣りにいるのかしら」

立ち上って、弘子はそっとカーテンをあけてみた。隣家の門灯が明るい。どこかの少年が自転車に乗って、その前を過ぎて行った。ふたたび、椅子にすわって弘子はいった。

「ねえ不二夫兄さん。今野さんと何の関係もない女の人が、あんな電話をかけてくるかしら」

「いたずらなら、関係がなくてもかけてくるよ」

「そうお……」

「何も、今野君に関係があるとばかりは、いえないよ」

「どういうこと？　それは」

「誰か、局の中に弘子を好きな男がいるとしたらね。その男がバーの女か誰かに頼んで、電話をかけさせたかもしれないよ」

「まさか。そんなことを男の人がするかしら」

「男って、意外と嫉妬ぶかいものだからね。しかも、パッと正面から嫉妬を出さずに、陰湿な出し方をすることもあるよ」

「あら、本当？　とすると、女の嫉妬のほうが単純ね」

「そうかもしれない。職場でも、仕事の上での嫉妬というのが、ひどくてね。とにかく、その電話の主役は、必ずしも女ではないかもしれないよ」

「そういうことも考えられるわけね。もっとも、栄介兄さんのように、自分の友だちを暴力団のようにしたてて、お父さんをゆすらせる人間もいるんですもの」

「あれは、ちょっとひどすぎたね」

　不二夫は、口にくわえたタバコにライターを近づけようとして、その手をとめた。何か考えているふうだったが、タバコに火をつけ、深くすいこんでからいった。

「まさか、兄貴のいたずらではないだろうね」

「栄介兄さんの？　まさか！　お兄さんがわたしにいたずら電話をかけて、何がおもしろいのかしら」

「いやがらせということは、考えられるよ」

「いやがらせ？　ああ、なるほどね、お父さんがわたしに土地を買うとか、家を建てるとかいってるから？」

「こんな想像はしたくないけれどね」

「そういえばそうだわ、栄介兄さんなら、やりかねないわ」

「やりかねないが、兄貴がやったとは断定はできないよ」

「いいえ、きっと栄介兄さんよ。いやがらせよ。ああ、もう少しで、今野さんを疑うところだったわ。ひどいわ」

「そう決めこんではいけないよ。決めこむと状況判断をあやまるからね」

「でも、栄介兄さんしか考えられないわ。わたしの結婚にいやがらせの電話をよこす人なんて……」

「そうとも限らないさ。どんな人間にも、いやがらせをする卑しさはあるからね。兄貴だけじゃないよ、弘子。恐ろしい人間は、世の中に結構いるからね」

「……でも」

弘子は、聞きおぼえのない電話の声を思い浮かべながら、その女の傍に、にやにやしながら栄介が立っていたような気がしてならなかった。

「お兄さんが帰ってくる時の顔を見たいわ。わたし、階下に行っているわ」

「兄貴だと決ったわけじゃないからね。弘子、へたなことをいってはいけないよ」

「大丈夫よ。とにかくアニキの顔をじっとみつめてみなければ、落ちつかないもの」

弘子は居間に降りて行った。洋吉と勝江が新聞をひろげて読んでいた。傍らにも新聞が積み重ねられている。

「ああ、弘子。お前もちょっと調べてくれ。たしか、〈教育は誰のもの〉という随筆が載っているると思うんだが……」

「教育は誰のもの、というのね」

「うん、その中にトルストイか誰かの、いい言葉があったんだが、その言葉が必要なんだ」

洋吉は、珍しく着物の胸もとを大きくあけていた。

「学芸欄ね」

「そうだったと思うがね。お母さんに頼んだら、ほかの記事ばかり読んでいて、一向にはかどらんのでね」

「でも、今夜中に見つかればいいんでしょう」

　勝江は老眼鏡をはずして、

「今日は割と上手に着てるわね」

　と、弘子の着物姿を点検するように見た。

「ありがとう。やっとほめられたわね。ところでお兄さんはまだ帰らないの」

「栄介はとうに帰ってますよ」

「あら、本当？」

「本当ですよ。食事は外でしてきたって、今日は珍しくお酒を飲んでいませんでしたよ」

「じゃ、二階？」

「そうでしょう」

　学芸欄に目をやりながら、弘子は肩すかしをくわされたような気がした。摩理のところにいるとばかり思っていたが、あれからすぐに帰ったのだろうか。しかし、階段をあがる足音も、不二夫の部屋の前を通る足音も聞かなかった。

その時、バスタオルを肩にかけ、パンツ一つの栄介が風呂から出てきた。

「おや、お風呂だったのかい」

勝江はちらりと栄介を見た。ぐいと、冷蔵庫のドアをあけ、ビールを一本ぶらさげた栄介は、ソファにきてすわった。白い歯でビールの栓をぬくと、栄介はいった。

「弘子、着物のほうが似合うじゃないか」

ほめるということのほとんどない栄介の言葉に、

「あら、急にお世辞がよくなったのね。気味がわるいわ」

と、弘子は笑いもせずにいった。栄介はニヤニヤ笑いながら、

「いつまで局につとめるんだ?」

「わからないわ。一生つとめるかもしれないわ」

「なんだ、共稼ぎか。俺はまた、七月いっぱいかと思ったよ。共稼ぎは体にこたえるぞ」

新聞から顔を上げて、弘子は栄介をまっすぐに見た。栄介らしからぬ言葉だった。弘子の機嫌をとっているとしか、考えられなかった。

「あのね、お兄さん。今日、変な女の人から、電話がきたわよ」

栄介の表情を注視したまま、弘子は思いきっていってみた。

「何だい、変な女って?」

「変な電話なの」

「何？　弘子。どんな電話だ」

　洋吉が口をはさんだ。

「いやあな電話よ」

　電話の内容を、父母の前でいうのは、ためらわれた。今野が疑われてはならなかった。

「いやな電話？　何か脅迫めいた電話かね」

　不安げに洋吉は勝江を見、弘子を見た。

「まあ、そうね」

「金をよこせというのかね」

　いいながら洋吉は、じろりと栄介を見た。栄介はコップのビールを、ぐっと飲みほして、

「何か、脅迫されるような、弱みをもっているのか、弘子」

　といった。

「ないわよ、何も」

「じゃ、何も恐ろしいことはないじゃないか」

「いったいどんな電話だと思う？　お兄さん」

「そんなこと、わかるものか」

「お父さんは、どんな電話だと思う?」

「金をよこせというのだろう。また三百万か」

ハッと弘子が息をのんだ時、

「三百万? ああ、あの件はどうなりました? がたがた騒ぐほどのことはなかったでしょう、お父さん」

栄介はせせら笑うようにいって、ビールをコップに注いだ。

大沼

大　沼

波頭のように空に突き出た左肩から、なだらかに山すそを引く駒ヶ岳が美しかった。明るい紺青の大沼の水に、その駒ヶ岳がくっきりと逆さに姿を映している。

大沼に点在する島の数は、いったいいくつあるのであろう。大小合わせて、三、四十もあるのだろうかと、洋吉は岸に立って目を細めていた。

函館の街から、函館本線に沿って車で四、五十分走ると、道南の景勝地、この大沼国定公園がある。

（なぜ大沼と呼ぶのだろう）

緑深い島々が、その静かな水に影を落としている風景にみほれながら洋吉は不満だった。大沼という語感には動きのない澱《よど》んだ水面を連想させる。が、ここはまさしく湖である。澄んだ青い水が遠くまで広がっているのだ。

観光バスを誘導する車掌の笛の音が、湖に面した広場からひびいてくる。観光客は意外に少ない。洋吉も何度となく汽車で通過しながら、ゆっくり降り立ったのは今日が初めてであった。

この風光明媚という語がぴたりとあてはまる大沼に、「洞爺湖」や「阿寒湖」に類するふさわしい名前がないものか。洋吉はいろいろ考えてみたが、思い浮かばなかった。あまり魅力的な名前をつけたなら、観光客がどっと押しよせるにちがいない。やはり「大沼」というなじみのある名前がいいのかもしれないと思いながら、洋吉は島にかかった半月形の石橋を渡った。

洋吉は昨日土曜日、学校を終えると、すぐに駅に車を走らせ、ひるすぎの特急に乗り、函館に向った。家にいて、栄介と顔を合わすのが何とも不愉快だった。

栄介は、友人を手先に使って、三百万の金を父親である自分からゆすりとろうとした。その真相を知られたとは気づかず、

「あの件はどうなりました？　がたがた騒ぐほどのことはなかったでしょう」

と、ビールを飲みながら、せせら笑ったのだ。洋吉は、その時のむらむらと湧き上った殺意を、いままた思い返していた。

糸川みどりの兄と称する山畑を、暴力団員だと信じていた自分は、どれほど不安の日々を送ったことか。

おそらく、脅されている自分の様子を、山畑はとくとくと栄介に語ったにちがいない。それを聞いた栄介の高笑いが聞えてくるような気がした。

糸川と名のった山畑が、その名を不二夫に知られて以来、ピタリと脅しにこなくはなったが、もしそうでなければ、本当に三百万は脅しとられていたはずだったのだ。それを、

「がたがた騒ぐほどのことはなかったでしょう」

とは、何という不敵な言い草であろう。あの時、さっと顔色を変えた洋吉は、思わずこぶしを握りしめた。が、洋吉はぷいと立って寝室にはいった。激昂を辛うじて抑え得たのは、洋吉の心に根強く巣くっている、体面を傷つけまいという思いがあったからである。それは分別というより洋吉にとっては本能的な思いでもあった。

その夜洋吉は眠れなかった。殺したいほど栄介が憎かった。この手で、栄介ののどもとを思いきりしめ上げたかった。どのような手段も許されるような気がした。

栄介のような人間は、この世に不幸をもたらすだけの存在である。親をさえ恐喝しようとしたのだ。将来何をしでかすかわからない。いまのうちにその禍根を断ち切ることは、親として、社会への責任であるような気がした。

しかし、栄介をこの手で葬れば、法律はやはり殺人の汚名を自分に着せるであろう。それは耐えられることではない。殺すには殺す方法があると洋吉は床の中で思った。決して

殺したと気づかれない方法でなければならない。

（いかにして……）

洋吉は本気で思いめぐらした。

栄介自身の過失で死んだと見せかけるやり方がないか。酔った栄介が誤って階段から落ちたようにすることは、極めて自然かもしれない。が、果してあの頑丈な体が、階段から落ちたぐらいで即死するであろうか。

酔った栄介を、車に轢《ひ》かせる方法はないものか。交通事故の多い世の中である。これがいちばん自然に見えるのではないか。とはいっても、栄介をどのようにして車道に突き倒すかが問題であった。

ふっと、洋吉は紀美子を思った。紀美子は水死したのだ。同様に栄介もまた、水におぼれてもいいではないか。だが栄介は、水泳が達者である。洋吉は水から一転して、山を連想した。

新聞に、大雪山の雪渓の割れめから転落した事故が、ついこの間報道されていた。大雪山にはロープウエイがついていて、登山が楽になった。絶叫しながら、谷底に転落して行く栄介を、洋吉は快く想像した。何の痛みも感じなかった。栄介は誰よりも、親の死を願っているにちがいないのだ。

洋吉は、栄介を殺す方法を考えることによって、激しい憎しみが少し緩和されたような気がした。洋吉は推理小説を漁ってみようと思った。大きな楽しみができたような気がした。息子を殺す方法を考えることが楽しみなのだ。非道な人間になりさがったものだと思いながらも、その夜、栄介への殺意は消えなかった。

一夜あけると、さすがに怒りはおとろえていたが、憎しみはまだ胸の中にくすぶっていた。

(ビタ一文、あいつには残すまい)

幾度も思ったことを、洋吉は再び思い、金は自分一代で使い果たそうと決意を新たにした。

が、実直に地道に生きてきた洋吉には、派手に遊ぶことは苦手であった。

どこかに旅に出たいと洋吉は思った。一泊や二泊の旅で使う金高は、現在の洋吉にとっては、たかがしれていた。さし当って旅に出るより、金の使い道はない。だが、旅に出たい理由は他にもいくつかあった。

第一に、栄介の顔を見たくなかった。見ればむらむらと腹が立つ。が、もう一つ、洋吉はとにかく札幌を離れたかった。生まれ、育ち、現在まで五十何年間住みつづけた土地を、僅かの間でも離れたかった。誰も自分を知った者のいない土地に行きたかった。そこには、洋吉を教育者だと見る者はいない。洋吉は世間に遠慮して生きる生き方に飽きていた。窒息しそうであった。世間をはばからずに、のびのびと生きたかった。小心翼々の洋吉には、

大　沼

旅に出る以外に、のびのびと生きる術がなかった。

札幌から函館までの四時間、洋吉は飽かずに窓外に目をやっていた。苫小牧を過ぎると、太平洋が広がり、右手には樽前の噴煙が陽に輝いていた。

グリーン車の中は冷房がきき、少し膝が痛いような気がした。乗客はまばらで、洋吉の傍らの席も空いていた。誰とも口をきかずにすむことは、大きな安らぎであった。

沿線には濃黄のエゾキスゲがちらほらと咲いていた。それを見ながら、洋吉は藻岩山までドライブをしたときの女を想い出した。女の名前も住所もわからない。たしか、名前を聞いたはずだが、忘れた。

(あの女を連れてくればよかった)

そう思ったのも少しの間だった。女が傍らにべったりとついては、うっとうしかった。知った人に見られはしないかと、つまらぬ心くばりもしなければならない。

大きなオイルタンクの並ぶ東室蘭港湾のあたりを過ぎ、洞爺に近くなると、右手に赤茶けた昭和新山が、焼けただれたような姿を見せた。第二次大戦末期にできたこの山を、たしか新聞は報道しなかったはずだと、洋吉は記憶をさかのぼってみた。

(栄介の生まれた頃ではないか)

昭和十八年に栄介は生まれた。溶岩をかぶった、草木の一本もない昭和新山を眺めながら、洋吉は栄介の幼い頃を思った。もの心つくまでは、栄介もかわいい子供であったと思う。人間はいったい、どのようにしてその醜さをつくりあげていくのかと思わずにはいられなかった。

池のように波ひとつ立たぬ大きな内浦湾が弧をえがき、後方に過ぎてきた室蘭の岬が遠のくと、行く手に駒ヶ岳がかすんで見えてきた。熊笹の丘がつづき、原野のところどころには草を食《は》む牛の群れがあって、風景はどこまでものどかだった。

眺めてだけいる者には、命がけで漁をする人の姿も、のどかに見えるのかもしれない。漁船のいくつか浮かぶ内浦湾の静かな海を眺めて、洋吉はそんなことを思った。

洋吉はいま、大沼の島のほとりをゆっくりと歩いていた。こうして歩いている自分の姿も、他の人々が見たなら、一人の旅を楽しんでいる初老の男と見えるかもしれない。

白い遊覧船が汽笛を鳴らして帰ってきた。あの船にいる人々も、心から楽しんでいるのだろうかと、洋吉は歩みをとめた。

「いいお天気ですな」

男の声がした。ふり返ると、洋吉と同じ年頃の背の高い男が立っていた。一瞥しただけで、高価な生地とわかる背広を男は着ていた。男も一人だった。

「いいお天気ですね。大沼って、こんなに美しい所だとは思いませんでしたな」

大沼

「それは、大沼という名前のせいですよ」

　自分と同じことを考えている男に、洋吉は親しみをもった。

「わたしもそう思いましたが……しかし、湖という名がついていると、人がたくさんきて汚されるでしょうね」

　男は目じりに細かなしわをよせてうなずき、

「そうです。人はあまりこないほうがいいですなあ。ところで、あなたはどちらからいらっしゃいました？」

「札幌です」

　正直に札幌といってから、洋吉は悔いた。どこの誰とも知らぬ人間でありたかった。

「ああ、道内のお方ですか。わたしはまた、本州の方かと思いましたが」

「あなたは本州で？」

「いや、函館です」

　そういった時、ひっそりと近づいて来た和服姿の女性がいた。三十二、三のその女は、男をちらりと見て、

「買ってきたわ」

　とタバコをさし出し、洋吉に目礼した。連れがいたのだと知って洋吉はちょっと裏切ら

れたような気がした。

「ありがとう」

男はすぐに箱から一本とり出して火をつけ、深くすいこんで、駒ヶ岳のほうを眺めていたが、

「大沼は浮気をしにきたくなるところですなあ」

と、ニヤニヤした。女はちょっと顔を赤らめて、

「いやな方」

と、いまきた道に歩みを返した。

「いっとうです」

男が洋吉にささやいた。

「え？　いっとう？」

「あれは人妻ですよ」

「なるほど、一盗ですか」

洋吉がうなずくと、

「じゃ、失礼」

と、男は女のほうに歩いていった。

洋吉は、自分がひどく野暮な男に思われた。モーターボートが、水を切って目の前を過ぎた。

昨夜洋吉は、函館の湯の川温泉に一泊したが、函館の夜景を見、街のすし屋で銚子一、二本をあけ、すしをつまんだだけであった。扇をふたつ要《かなめ》のところで合わせるような形に、函館の灯は広がっていた。秋のような寒い夜風に吹かれながら、洋吉はそれを眺めただけだった。

今日の午後はタクシーで女子修道院を見に行き、星形の五稜の堀を見、外人墓地から港を眺めただけだった。

（これじゃ、まるで修学旅行だな）

ぶらぶらと島の小道を歩きながら、一枚一枚拭ったようなつややかなシャクナゲの葉や、水に影をうつす岸べのカキツバタに目をやった。

島から島に石橋がかかっていた。一周するのに五分とかからぬ小さな島が多い。幾十にも散在する島々は、湖水を実に変化させた。歩みを進めるごとに、景色が変る。ここでは広がっていた湖が、次の場所では池のようにすぼまり、次にはまったく別の眺めになった。

ボートに乗っている幾組かの男女を遠く近くに眺めながら、洋吉はふっと溜息をついた。人間が一人を楽しむ時間にも、限りがあるような気がした。が、勝江を連れてくればよかったとは思わなかった。勝江は共感することを知らぬ女なのだ。といって、弘子や不二夫では、のびのびとした気持を味わうことはできない。息子や娘の前では、絶えず洋吉は父親でなければならなかった。

家庭は憩いの場所である筈だった。が、洋吉にとって、家庭はいとうべきところとなった。腹立たしく不愉快なところであった。いったい、人間はどこに身を置けば、安らぎを与えられるのであろう。いましがた羨望を感じた「一盗」の男も、考えてみると、はかない楽しみしか知らぬ哀れな人間にも思われた。

ゆっくりと歩いて、洋吉は再び橋の上にきた。石の欄干によりかかった洋吉は、ふいにいいようもないむなしさを覚えた。

世間を恐れる生き方に飽き、不愉快な家庭を離れようと旅に出たが、やはり心からのびのびとした気持になれない。いったい、男が世間を考えずにのびのびと生きるとは、どんなことを指すのだろう。栄介のように、人を人とも思わず、大胆に女を抱くことであろうか。しかし女を抱いた後のむなしさを洋吉も知らぬわけではない。

「歓楽極まって、哀感あり」

という言葉がある。女を抱いたあとの、あのいい表わし難いむなしさを、人はいったい何によって埋めるのであろう。

いったい自分は、何を楽しもうとして札幌を出てきたのであろう。孤独の時を楽しむとしても、それは一旦札幌に帰れば、跡形もなく消える楽しみではないか。

人間の楽しみに、ひとときのものでない楽しみがあるであろうか。ゴルフにしてもマージャンにしても、結局はそのひとときのものではないか。それは、妻を数えきれぬほど抱いてきても、必ずしも妻への愛が深まらないのに似ていた。何か無駄ごとをしている気がしてならなかった。どこかが、まちがっているような気がするのだ。

こんな思いのままに、ずるずると生きていって、一生が終るのだろうか。明るい太陽が頭にあつかった。手すりによったまま洋吉は白いうす雲の出てきた空を見上げた。

（あと、何年生きられるのだろう）

五十五歳という年齢は、まだ老いたという年ではない。が、あと二十年生きられるかどうか、頼りない気もした。二十年の歳月は、洋吉にとっては必ずしも長くはなかった。むしろ短い気がする。洋吉は二十年前の日を、ついこの間のようにあざやかに思い出すことができる。

「人は誰でも長く生きたいとねがう。だが、老人になることを人はねがわない」

西欧の誰かの言葉を思いながら、洋吉はなるほどそのとおりだと苦笑した。

あと、二十年や三十年は生きたいと思う。が、二十年後は七十五歳であり、三十年後は

八十五歳なのだ
（いつかは、この自分も死ぬのだ）

駒ヶ岳の右肩にひとひらの雲が陽に輝いている。自分が死んでも、あの山は、今日の姿のままに厳然としてあるのだろう。

何のために、自分は生きてきたのだろう。洋吉は自分のいままでを考えてみた。栄介さえいなければ、人並以上に幸せな生活であったかもしれない。思いは再び栄介の上にかえった。

蜜蜂の世界では、役に立たぬものは、容赦なく殺されるのを映画で見たことがある。交尾を終えた雄は死に、卵を産まぬ女王蜂や、怠け者の働き蜂は殺される。

しかし人間の世界では、悪人も怠け者も、堂々と生きているのだ。いや、善人のほうが小さくなって生きている。現にこの自分も、栄介のいない世界を求めて、大沼まできたではないか。つまり、自分のほうが遠慮し、小さくなっているのだ。

栄介のような悪人は、果してこの世に存在を許されるべきであろうか。いや、許されはしまい。

洋吉は大きく溜息をついた。生きている限り、自分はこうして栄介をうとみつづけ、憎みつづけるのであろうか。それはまた何という憂鬱な生きざまであろう。

白い遊覧船が、長い水脈を曳いて、いままた出て行った。
洋吉はまたしても深いむなしさを感じた。

大　沼

水輪

水輪

七月にはいって、にわかに気候が逆もどりし、この一週間ほど肌寒い日がつづいたが、今日からは、再び気温が高くなった。

弘子は今日もＨＫＳテレビ局の受付にすわっていた。受付の前のロビイを、絶えず人が行き来している。局内の人や、局に始終出入りしていて、受付を必要としない人々だ。

いつもにこやかな守分プロデューサーが、いま、東京から着いたらしい女優の池野淳子とはいってくるのが見えた。紺地に白の小紋を着た池野淳子は、そのあでやかな笑顔で、

「お元気?　また二、三日お世話になりますわ」

と、受付の弘子にも声をかけて過ぎた。池野淳子は、一年前ＨＫＳ制作の一時間ドラマに出演したことがあって、弘子とも顔馴じみになっていた。気軽で明るい池野淳子が右手に去って行くのを眺めている時、電話のベルが鳴った。

「もしもし、真木さんですね」

「ハイ、真木でございます」

どこかで聞いた声だと思いながら、弘子がハッと気づいた時、

「真木さん、あなた、やっぱり今野さんと結婚するおつもり？」

女がいった。このあいだの、電話の声だった。

「失礼ですが、どちらさまでしょうか」

「どちらさまでもいいでしょう。とにかく今野という人間をよく知っているのよ、わたしは」

含み笑いを女は洩らした。

「そのようなお話は伺いたくございません。今後、お電話はご無用におねがいいたします」

切口上にいって、弘子は受話器をおいた。あの時以来二十日あまり電話はなかった。やはりいたずら電話だったと、今野への疑惑も晴れていた。そこへいままた女からの電話である。

幾度いたずらをするつもりなのかと、弘子は栄介が腹立たしかった。いままで今野に黙ってきたが、やはりこの件は話しておいたほうがいいような気がした。今野に対して、弘子を中傷する電話がいっているかもしれないのだ。

栄介に腹を立てている父の洋吉が、弘子の結婚の準備に金をかけたがる気持は、いちだんと具体的になっていた。貸衣装でかまわないと思っているのに、洋吉はうちかけまでつ

くらせようとしていた。

新居を建てることを辞退すると摩理のような大粒のダイヤを買おうともいっている。そのダイヤで、いつでも好きな時に家を建てたらいいと、洋吉はいうのだ。

それらのものを、弘子は特に欲しいとは思わなかった。自分が金目のものを持つことが、即ち今野を喜ばせることにはならないと、弘子は思う。かえって、今野に負担を感じさせるだけなのだ。

「指輪なら、目にはたつまい。タンスの隅にでもしまっておけばいい」

洋吉は、昨夜もそういっていた。それを栄介はきき、じろりと弘子を見、洋吉を見たが、珍しく何もいわなかった。

いまの電話は、そのいやがらせにちがいない、と弘子は思った。

そう思った時、また電話のベルが鳴った。いまの女が、再びかけてきたような気がして、弘子は受話器をみつめていたが、ベルは鳴りやまない。しかたなく受話器をとると、思いがけなく西井市次郎の声だった。局の前の道庁に来ている。帰りは五時頃になるので、今野と一緒に食事をしないかという誘いの電話だった。

ものやわらかな市次郎の声に、弘子は慰められた。いま、とげとげとした不快な女の声を聞いたばかりなので、その思いはいっそう強かった。

「今野さんは、サロベツ原野と利尻富士の撮影に出かけておりますので、今日は局にいらっしゃらないんです。わたくし一人でもよろしければ、小父さまにお目にかかりたいと思いますわ」

つい甘える口調になった。

「そう、今野君は出張なの」

ちょっと考えているようだったが、

「じゃ、道庁の南池のそばで待っていてください。五時に終る予定ですが、あるいは五時半頃になるかもしれませんから」

と、市次郎は電話を切った。

五時かっきりに、正面玄関の戸が閉まり、通用門の守衛が受付の仕事も兼務する。小さな受付の部屋に一人いて、朝から晩まで見知らぬ多くの人に応対する仕事は、かなり神経をつかうが、ほとんど超勤のないのはよかった。退社時刻がはっきりしているので、その後の予定が立てられる。

今野のように、出張したり、撮影が夜まで延びたり、夕食の接待で帰宅が遅くなるということはない。五時を一分と過ぎずに帰ることができるのだ。

外に出るとまだ日が高く、気温は午前よりあがっていた。弘子は小さなハンドバッグを抱え、すぐ向いの道庁の庭にはいって行った。

道庁正門からの通路を真中に、右と左に広い池がある。北にあるのを北池、南にあるのを南池と呼んでいた。約束の南池の岸の芝生に弘子はすわった。ポプラやニレの木立や赤レンガの庁舎を映した池に、赤や白の蓮の花がたくさん咲いていた。

木陰の芝生には、すわったり寝ころんだりしている幾組かの若い男女や、写生をしている中年の男や、大きなリュックをかついだ観光客らしい若者たちがいた。弘子はぼんやりと池の面を眺めていた。少し黄を帯びた、ひらききらない睡蓮の花がすがすがしい。池の端に憩う人の影が、時折動く。

ふと弘子は、誰かに見られているような感じがして、視線をあげた。が、あたりには静かに語り合ったり、池を眺めている人だけだった。弘子はうしろを見た。芝生の小道をゆっくりと歩いている人々の姿があり、鉄柵の向うの車道を、車がひしめくように走っていた。

知らない女の電話に、神経質になっているのかと苦笑した時、西井市次郎が池の向うに姿を現わした。すばやく立ちあがって、弘子は片手をあげた。グレーの背広姿が、いつもより若々しく見えた。弘子は急いで、市次郎に近づいて行った。

「そんなに急がなくてもよかったのに……」

息を弾ませて近づいてきた弘子に、市次郎はやさしい微笑を向けた。

「でも……」

　とはにかんで、

「お元気ですか」

　弘子は小首を傾けて、市次郎を見た。

「元気ですよ、この通り。今野君は旅行中で残念でしたね」

「ええ。でも、たまには小父さまと二人でお話をしたいわ」

　弘子の言葉が、市次郎を慰めた。二人は芝生に腰をおろした。市次郎はタバコに火をつけていった。

「弘子さんは、やさしい奥さんになるだろうなあ」

「そうでしょうか」

「今野君は幸せですよ」

「そうだと、いいんですけれど……」

「幸せですよ」

　静かだが、断言する市次郎に、弘子は澄んだ目を向けた。

「ね、小父さま。わたしね、人間の幸せって、時々わからなくなることがあるんです」

「どんなふうに、わからなくなるんです？」

「あの……ほら、誰でも、わたしの友人たちでも、恋愛をすると目を輝かして、本当にこの世でいちばん幸福だという顔をしているわ」

「それで」

「でも、そんな幸せは、いつまでも続かないでしょう。結婚した人だって、一年もしないうちに、退屈な顔をしていますもの」

「それはねえ、きらきら輝くような幸せなんて、ないだろうけれど、しかし、地味なおだやかな幸福は、ないとはいえないでしょう」

「だって、おじさまだって、失礼ですけどお幸せそうじゃないわ」

「それはそう見えるでしょうね。だがね、家内や紀美子が生きていた時は幸せでしたよ。まあね、メーテルリンクではないが、青い鳥が手の中から飛び去ってはじめて、わかるものなのかもしれませんねえ、幸せというものは」

「幸せが去ってから、幸せがわかるなんて、何だかつらすぎるわ。しかも小父さまの幸せを、兄が奪ったのかと思うと……」

「弘子さん、それはいわないことにしよう。わたしは、あなたを彼の妹としては見ていない」

きっぱりと市次郎はいって、いたわるように弘子を見た。

「ありがとう、小父さま」

「とにかく、いま、あなたは幸せでしょう」

「ええ。でも、それが恐ろしいの。人間って、ぜいたくなものなのねえ。この今野さんとの幸せが、いつまで続くかしらと思って、それが恐ろしいのよ」

「なるほど」

「人間の幸せって、何だか束の間のようね。はかない気がするわ」

長いまつ毛をふせて、弘子は池の水を見た。雨も降っていないのに、小さな水輪がかすかに広がっている。虫でも触れたのかもしれない。

「人間のような業の深いものにとっては、束の間の幸せがあるだけでも、感謝すべきことだといっていた人がありますがね」

「まあ、ずいぶんきびしい言葉ね」

弘子は顔をあげた。

「冷淡ともいえる言葉のようですが、そういう言葉があってもおかしくないところが、人間の世にはありますね」

「幸せって、いったい何でしょう」

「あなたは、どんなふうに感じていますか」

「それがわからないんです。ただ、わたしたちが幸福と感じていることに、どこか誤りがあるような気もするんです」

「なるほど、それでたとえば……」

「たとえば、お金や財産で幸せを買えないことを、誰だって知っていますわね。金持の家が冷たく不幸なことの多いことも知っていますから。知ってはいるけれど、すばらしい邸宅の前を通ったら、こんな家に住んだら幸せだろうなって、ふっと思ってしまうことがあるでしょう?」

「ありがちですね、それは」

「そんなふうなまちがいが、幸福についてはたくさんあるような気がするの。愛する人と結婚すれば、それで全く幸せだと思うことも、どこかにまちがいがあるような気がするんです」

「どこかがねえ」

一途な、若々しい弘子の目の色を、市次郎はいとおしむように見て、

「わたしにも、弘子さんのいおうとしていることが、わかるような気がする。何か、いままでの考え方が、根本からちがっているような気がするんでしょう」

「そうなんです。本当の意味で愛するとはどういうことか、そんなことも知らずに、わたしたちは愛していると思っているのじゃないかと思ったりして……愛って、重い言葉だと思うんです」

「そうですね。重い言葉ですね」

「このあいだ本で読んだのですけれど、わたしたちは単に好きという程度の感情を、軽々しく愛という言葉に置きかえていることが多いっていうんです。わたし、何かひどく気にかかって……」

弘子は、あの不快な電話を、知らぬ女から受けた後、今野を疑った。いや、それは疑ったとはいえぬほどの心のゆらぎであった。だがそのゆらぎは、弘子にとって、思いがけない自分の愛の弱さの発見でもあった。あれ以来弘子は、自分の今野に対する愛は、好きという感情ではあっても、いまひとつ、何か深いものに欠けているのではないかと思うようになっていた。そして、世の恋人たちが結婚して、たちまち退屈な夫婦になったり、離婚したりする原因も、愛とは何かを知らなかったからではないかと考えはじめていた。

「弘子さん、あなたはお若いのに、考え深いですね」

「いいえ、浅はかで困るんです。ね、小父さま、本当の幸福って、やっぱりあるのじゃないかしら。ただ、わたしたちが本当の幸福とは何かを知らないだけで」

愛がわかれば、幸福がわかるのかもしれないと弘子は思った。

「そうですね……おや、あれは……」

市次郎がちょっと眉をひそめて、池の向うに目をやった。

「どなたか、ご存じの方ですか」

「いや……治に似た男だと思ったんですが……」

「治さん？」

弘子の顔がくもった。その表情に市次郎は首を横にふって、

「いや、似ていただけです。さて、そろそろ食事に行きましょうか」

と、さりげなく立ちあがった。

弘子はちょっとうしろをふりかえってから、市次郎に従った。

「あら、何かついていますわ」

市次郎の肩についている白い糸屑を、弘子はそっととった。

「今夜は何をご馳走しようかね」

「小父さまのお好きなものなら、何でも……」

「いや、弘子さんの好きなものがいいね」

芝生を横切って、道庁の正門を二人は出た。車の流れの激しい道である。二人は門を出て右に曲り、歩道を鉄柵に沿って歩きだした。排気ガスの匂いが鼻をついた。

「ではね、小父さま。鉄板焼をいただきたいわ。わたし、小父さまに焼いてさしあげたいの」

弘子は市次郎を見あげた。

「やさしいことをいってくれますね」

　市次郎は微笑した。

「わたし、本当は小父さまに、もっともっと何でもしてさしあげたいのよ。お料理や、お洗濯や……」

　治さえ快くゆるしてくれるなら、日曜日毎にでも西井家を訪れたかった。そして、兄の栄介の非道な行為によって紀美子を失った市次郎のために、弘子は自分のできるかぎりのことを尽したかった。

　六時を過ぎても、七月の空はまだ明るかった。

「ありがとう。その心だけで慰められますよ」

　弘子は、自分と市次郎は奇妙な関係だと思った。栄介と紀美子の関わりを思うと、たしかに市次郎と自分は不自然にも見える関係なのだ。自分に敵意をあらわに見せた治のほうが、正常にも思われる。

　いくつかの交差点を渡りながら、二人は並んで歩いて行った。

「ね、小父さま、この頃、妙な電話があったの」

　弘子はふっと、電話の女のことを、市次郎に語りたくなった。大通り公園を横切りながら、弘子は手短に女のことを告げた。

「ほう、それは悪質ですね」

市次郎は噴水の傍らに立ちどまり、真剣な表情になった。噴水の飛沫が市次郎の肩にかかった。

「誰かのやきもち半分のいたずらだろうって、二番めの兄はいうんですけれど……」

「いたずらでしょうかね」

市次郎は近くのベンチに腰をおろした。空の色が僅かに夕べの色を帯びはじめていた。

「わたしは、兄のいやがらせだと思ったりして……」

「栄介君の？　まさか！」

「お恥ずかしいんですけれど、兄って、そんなことをしかねない人間なんです」

目をふせた弘子の足もとに、鳩が二羽よちよちと寄ってきた。

「いや、栄介君じゃないでしょう」

きっぱりと市次郎はいった。

「いいえ、兄ですわ。兄はお金のことになると、親もきょうだいもないんですもの」

父から三百万円恐喝しようとしたことを弘子は話した。

「だから、今度も栄介君だというんですか。いくら栄介君でも、そうそう似た手口は使わないでしょう」

「いいえ、兄はまだ、お金をゆすろうとしたことを、家族に気づかれたとは思っていないんです」

弘子の言葉に、市次郎は腕を組んだ。

弘子は急に不安になった。兄の栄介のいやがらせなら、不快ではあっても安心だった。それは、今野にはなんの根拠もないことといえるからである。が、栄介でないとしたら、誰かが、何らかの根拠をもっていやがらせをしていることにもなる。

理由がわからないことが、弘子には不安だった。やはり、今野に電話の件は告げねばならぬと、弘子は寄ってきた鳩に、そっと手をのべた。

「悪質ないたずらですね、全く」

市次郎は市次郎で、何か考えているようであった。

鉄板焼で夕食を終えた弘子は、Sビルの一角にある店を出た。

「少し歩きますか。まだ八時前ですね」

市次郎は腕時計をのぞきこんだ。

「ええ、小父さまとゆっくりお話できる機会も少ないでしょうから」

市次郎はビールを二本飲み、弘子の焼いてくれた肉や野菜を楽しそうに食べたのだった。

「九月には花嫁さんか」

市次郎は背を真っすぐに伸ばし、片手をズボンのポケットにいれて、仲通りのほうに歩きだした。駅前通りでも、一歩横にそれると、こんなに人通りの少ない道もあるのかと驚くほど、人影のまばらな暗い道だった。

「小父さま」

「何です？」

「こんなこと申しあげて、ごめんなさい。わたし、本当は小父さまに、結婚の披露宴にいらしていただきたいのよ。でも……」

「わたしを招待するのはむずかしいだろうねえ」

「ええ」

「それはそうだろうねえ。わたしとしては、充分にお祝いする気はあるのですがね……」

市次郎はさすがに語尾をにごした。自分の言葉に心もとなさを感じた。自分は本当に、この娘の結婚を祝う気になっているのだろうか。今野はいい青年であり、弘子に似つかわしいと思いはする。だが、弘子が結婚することには、心のどこかで抵抗しているものがあるのを否定できなかった。それは自分の娘の結婚に対する気持に似ているようで、どこかちがっていた。

「小父さまがいちばん喜んでくださると、わたしも思っていますわ。わたしたち二人をご存じですし……。わたし、小父さまに花嫁姿を見ていただきたいわ」

甘えるように弘子は市次郎を見あげた。がすぐに、

「ごめんなさい。こんな勝手なことを申しあげて」

「……披露宴には行けなくても、お祝いだけはあげようね。何がほしいですか?」

「まあ、お祝いをくださるの。うれしいけれど、でも……」

「遠慮はいりませんよ。弘子さん」

ゆっくりと弘子に歩調を合わせながら、市次郎の心は複雑だった。いつか自分にいった治の言葉が思い出された。治は、弘子が美しい娘でなければ、そう親しく交際はしないはずだと、父親の自分に詰めよったのだ、。

そのとおりかもしれぬと、市次郎は傍らの弘子を見た。白い頬と、長いまつ毛が街灯の下に美しかった。できるなら、弘子はいつまでも一人でいてほしかった。弘子ほど紀美子の死をいたんでくれる娘は、市次郎の周囲にはいなかった。

「でも、小父さまにはやはりいただけないわ」

「なぜ?」

「なぜでも……。わたしつらいんですもの」

「では、わたしは何もお祝いをあげられないことになる」

「いいえ。わたしが結婚したら、わたしたちの家へお遊びにいらしてくだされば」

　初々しい新妻となった弘子を、市次郎は想像した。それは全く別世界に行ってしまうような淋しさだった。

「ね、それがいちばんうれしいお祝いよ」

　市次郎は答えなかった。いつのまにか舗装路が尽き、石ころの多い通りを二人は歩いていた。風が時どき、思い出したように吹き過ぎた。

「ね、小父さま、いいでしょう?」

「それでよければ……」

「わたしね、二、三日前に小父さまの夢を見たのよ」

　弘子がいった。

「ほう、どんな夢ですか」

　若い美しい娘が、自分の夢をみてくれた。市次郎は甘酸っぱい心地がした。

「あの……小父さまと、こうして二人で歩いている夢なの。広々とした麦畑があって、石狩平野のように広い麦畑なのよ。でも、夢っておかしいのね。その麦畑の上を、白い帆をかけた舟が、ひとつするすると行くのよ」

「ほう、麦畑に白帆がねえ。なかなか幻想的な夢じゃありませんか」

「そうね、幻想的ね。小父さまがね、その舟にオーイと声をかけたのよ。そしたら、白帆がふいに見えなくなったの。わたしは急に悲しくなって、小父さまと歩きながら泣いてしまったの。小父さまはとってもやさしく慰めてくださったの」

「ほう、じゃ、お礼をいってもらわなければならないね」

「ありがとう小父さま。慰めてくださって」

弘子はおどけてペコリと頭をさげた。市次郎は微笑しながら、自分はこの娘の肩に、むさぼるようにくちづけした夢を見たことがあると思った。

「ね、小父さま。小父さまの新婚旅行はどこでしたの」

「わたしたちは、新婚旅行などはしなかったんですよ。時代が時代でしてね」

死んだ妻の顔が、ゆっくりと浮かんで消えた。

「じゃ、わたしたちもしないでおきましょうか」

「どうして？」

「だって、わたし、小父さまと同じようにしたいわ」

「え？　わたしと同じように？」

「ええ。小父さまと同じようにしたいのよ」

「どうして？」

「どうしてかしら。わたしにもよくわかりませんわ」

「うれしいことをいってくれる」

　弘子は微笑して市次郎を見、

「あのね、小父さま。わたし、いま、小父さまにいただきたいものが、思い浮かびましたの」

「いつか、小父さまはわたしに日記をつけるようにとおっしゃいましたわね。わたし、ずっと日記をつけているんです。ですから……」

「日記帳がほしい？」

「そうなの。小父さまにいただいた日記帳に、新婚生活を書きたいのよ」

「これはまた、ずいぶんとお安いお祝いだ」

　苦笑しながらも、市次郎は弘子のやさしさを感じた。自分のすすめにしたかがって、ずっと日記を書きつづけているということも、日記帳を結婚の前にほしいということも、つまりは自分を大事に思ってくれていることなのだと、市次郎はうれしかった。

「わたし、小父さまにお話するつもりで、日記を書いていきたいんです」

「ありがとう、弘子さん。あなたは実にいい奥さんになれますよ」

「なぜですの」

「女の人は、夫を慰め励ます言葉を、意外と知らないものですがね。しかし、弘子さんはきっとそれを知った奥さんになりますよ」

「そうでしょうか。ほめていただいて、うれしいわ」

二人はちょっと立ちどまってから、歩みを返し、ネオンの明るい街のほうに向った。

水　輪

罰

罰

石狩湾の海岸線が右手に次第にかすんで見え、左手遠くには小樽のほうの岬が突き出て見える。熱い砂の上に、今野と弘子は濡れた体を横たえた。少し離れて、栄介と不二夫、そして長浜摩理のブルーの水着姿もあった。

じりじりと照りつける太陽を、海も砂も反射していた。弘子は足を形よく組んで、砂の上に腹這いになりながら、立ち並ぶ海の家に目をやっていた。

「人間あるところ必ず食う物を売るか」

今野が笑った。すぐ近くの海の家からは、かんジュースやサイダーをかかえた若者が出てきた。イカやトウキビを焼いている店もある。その店先で、四十ぐらいの男が、海のほうを眺めながら、十二、三の女の子と二人で、トウキビをかじっていた。

「なあに？　人間あるところ必ず……」

「ああ、人間あるところ必ず食う物を売るってね。土屋文明の歌だったと思うよ。上の句を忘れたが、いい歌だった」

今野のたくましい肩に、砂がまばらについている。

摩理の笑う声がはなやかに聞えてきた。今野はちらりと摩理を見た。摩理のぬれた髪がきらきらと光って美しい。摩理は自分を見た今野に微笑を返した。

「すてきな人でしょう、摩理さんって」

「すてきだね。しかし、あの人は女房向きじゃないな。一人で生きて行くタイプだと思うね」

「栄介兄さんは、だいぶご執心なのよ」

砂の上にどっかとあぐらをかいている栄介が、大きく手を広げ、何かしきりに話している。摩理はうなずきながらも、その視線は不二夫に注がれがちだった。

今野は、黙ったまま、砂をすくうと、弘子の上にそっとかけた。弘子はそのやさしい砂の感触に今野の心を感じた。

商品宣伝の旗か、黄色い三角の旗が、万国旗のように海の家の前にはりめぐらされ、ばたばたと汐風にはためき電気ギターの『荒城の月』のレコードが流れていた。

「海水浴場で、荒城の月とはおもしろいね」

「われは海の子の曲なら、つきすぎるのかしら」

他愛のないことを話し合っているだけで、弘子は楽しかった。

「もう、つまらん電話はかかってこないだろうね」

「それが……昨日もかかってきたのよ」

「昨日も？」

今野の濃い眉が動いた。

「ええ、昨日は土曜だったでしょう。ちょうど十二時頃に帰ろうとした時に、きたのよ」

「しつこいなあ」

「しつこいわ。でも、もう気にしないわ」

こうして今野の顔を見ていると、本当に何も気にする必要はないと思われてくる。この今野の真実なまなざしには、どこにも嘘の匂いはない。話も男らしく、きびきびとしていて、どこにもあいまいさがない。

「そうだ。気にしないに限るよ。敵は、こちらにいやがらせをしているわけだから、不愉快になれば思うつぼだろうからね」

「いままでよりも、ずっと親密にしましょうよ」

「そうしよう」

今野がうなずいた時、栄介が大声でいった。

「おーい弘子、何を二人だけで親密に話しているんだ？」

今野と弘子は「親密」という言葉に、思わず顔を見合わせて微笑した。

「すみません」

今野は弘子の手をとって立ちあがり、栄介たちの座に加わった。

「仲のいいのは、まあ結構なことですよ。今野君、君、泳ぎがうまいですね」

「そうですか」

「ボートはどうです」

「オールを握れる程度です」

「ぼくはうまいんですがねえ。摩理さんはボートはきらいなんだそうですよ」

摩理の前では、栄介もその傲岸さをひそめていた。すらりと伸びた足を横に折った摩理がからかった。

「残念ねえ、栄介さん。せっかくのカッコのよいところを拝見できなくて……」

小学生が教師に引率されてきているらしく、白い帽子と、赤い帽子が百メートルほど右手の海の中に、スイカのようにたくさん浮いているのが見える。空にはヘリコプターが音を立てて旋回し、十幾そうのボートが海に浮かんでいた。海辺の賑わいに目を向けながら、弘子はふっと、いつか、この海岸も、人一人こなくなる日がくると思った。夏が終って、淋しくなったこの海に、今野と二人だけできたいような気がした。

「何を考えていらっしゃるの、弘子さん」

「賑やかだなあと思っていただけよ」

弘子は、自分がいま、なぜ人一人いない海岸を思い浮かべたのかと、何か気がかりになった。

「さて、ひと泳ぎしてこようか」

栄介が立ちあがった。今野も弘子も摩理も立った。が、不二夫はひざ頭をかかえたまますわっていた。

「何だ、不二夫は泳がないのか」

「もう少しあとで」

言葉少なく不二夫は答えた。

弘子は今野と並んで海にはいって行った。二十メートルほどまでは、砂に打ちよせる波でにごっていたが、その向うは紺青の美しい海だった。

水のきれいなところにきても、立てば腰のあたりの浅さだった。弘子はゆっくりと、沖に向って泳ぎだした。きれいな平泳ぎだった。五つ六つの頃から、毎年この大浜で泳いで育ったのだ。泳ぎはきょうだい三人とも、達者だった。わけても不二夫は見事なフォームを見せ、遠泳にも強かった。

今野と並んで泳ぎながら、弘子は、いまの不二夫の表情が気になっていた。泳ぎの好きな不二夫が泳がないことも気がかりだった。体が悪い様子でもない。としたら、何か栄介との間にあったのだろうか。が、栄介とまともに衝突するような不二夫ではない。栄介と摩理のことだろうか。摩理はあまり泳ぎは上手ではない。栄介がつきっきりでコーチをしていたが、そのことで不二夫が気を悪くしているとは考えられなかった。

「帰りましょうか」

弘子は今野に声をかけた。

「どうして？　泳ぎはじめたばかりですよ」

今野の声を聞くと、何も帰って行かねばならぬこともないような気がした。弘子は急に気持が楽になった。広い青い海に、今野と二人っきりでいるような、のびやかな心地がした。人間は、ちょっとしたことがすぐ気にかかり、またいささかのことで安心する。

弘子は、自分たちに子供が生まれたら、泳ぎをすぐに教えようと思った。いつか、二歳の子が泳いでいるのをテレビで見たことがあった。二歳から泳ぐことができれば、池に落ちて死ぬ幼児はなくなるだろう。弘子はそんなことを思いながら、幸せだった。

百五十メートルほど泳いで、二人は岸に向った。

「いま、何を考えたと思う？」

今野が白い歯を見せて笑った。

「さあ、わたしたちの赤ちゃんのこと?」

今野は驚いた顔をし、

「どうしてわかった?」

といった。弘子も驚いた。偶然二人は、自分たちの子供のことを考えていたのだ。子供が生まれ、大きくなったら、青い広い海の中で、お父さんとお母さんは、あなたのことを考えていたのよと、今日のことを話してやりたいと思った。

岸まで百メートルほどになった時、今野がふいに叫んだ。

「何かあったようだよ、弘子さん」

いわれて浜辺を見ると、人の馳せ集まる姿が見えた。

「誰かおぼれたのかしら」

「そうかもしれないね」

こんなおだやかな海でも、おぼれる人があるのかと思いながら、二人は少し急いだ。

「心臓マヒかしら」

いってから、またしても弘子は不安になった。先ほどの不二夫の憂鬱そうな顔が目に浮かんだ。不二夫の身に何か異変が起きたのではないか。弘子の胸がさわいだ。が、不二夫はあの時、海にははいらなかった。浜辺で倒れたのだろうか。

（まさか、不二夫兄さんじゃないわ）

弘子は不安を打ち消した。

浜辺に近づいた弘子は、立って歩きながら、目で不二夫の姿を追った。不二夫はいなかった。栄介もいない。摩理もいない。三人とも砂浜の人の群がりの中にいるのかもしれない。

「不二夫兄さんじゃないわね」

さっきからの不安な思いを、弘子は言葉に出した。

「まさか」

今野は一笑にふした。幾重にも人の輪がつくられていた。

「どうしたんでしょう」

弘子は傍らの男に聞いた。

「おぼれたらしいんですよ」

男はたかぶった声でいった。

「子供ですか」

「いや大人ですよ」

かきわけるようにして、弘子は首だけ人の輪の中につき出した。誰かが、体に馬のりになって、人工呼吸を施している。

「あ！　お兄さん」

弘子は声をあげた。思いがけなく栄介のぐったりした顔が見えた。その傍らに片手をついてのぞきこんでいる、摩理の青い顔があった。


ステテコ一枚で、洋吉は畳の上に横になっていた。畳がなまあたたかかった。傍らで勝江が、弘子の丹前を縫っている。汗がぬらぬらと流れ出るような暑さだというのに、勝江はキチンと正座して、丹前を縫っていた。

「母親に縫い物をさせておいて、自分は海水浴か」

弘子は、栄介、不二夫そして摩理や今野とともに、海水浴に行っている。

つぶやく洋吉を、老眼鏡ごしに勝江はじろりと見て、

「でも、あなた。こんな暑い日曜日に、弘子が家にこもっているのを見たら、あなたはかわいそうでならないんでしょう？」

「それもそうだ」

「いまの子は、キチンとすわってお裁縫なんかできませんよ」

「それは、母親がわるいいんだね。躾けるといいんだ」

「でも、無理して習うこともありませんよ。蒲団屋に行ったら、丹前でも寝巻でも、チャンと売っている世の中ですからね」

「なるほど。じゃ、お前も縫うことはないじゃないか。買ってくるがいい」

「わたしは、手でも動かしていないと、退屈ですからね」

いつかも勝江は同じことをいっていたと思いながら、洋吉は、

「そんなに退屈かねえ」

「毎日、朝がきて夜がきて、何年たっても、同じことの繰り返しじゃありませんか」

「しかし、弘子が嫁に行くことは、退屈なことじゃないだろう」

「でも、ごく当りまえのことですからね。年頃になって結婚するのは……」

「そうかね。だが、栄介のゴタゴタも、お前にはただ退屈なことなのかね」

勝江は答えずに、目を細めて針に糸を通した。

「あいつも親不孝なやつだ」

白い百合が重なり合うように群がって咲いている庭に、洋吉は目をやった。

「あなた。子供というものは、五歳までに親孝行をしてしまうそうですよ」

「五歳までに？」

「そう。五歳までに、親を一生分楽しませ、希望を持たせ、喜ばせているということでしょ

うよ」

「なるほど」

そんないい方もできるかもしれない。が、それはあまりに子供を甘やかせた言葉だと、洋吉は思った。五歳まででは、子供は自覚をもってはいないのだ。が、二十歳過ぎたら、もっと自覚的に親を喜ばせてもいいのではないかと思う。

「それは、しかし、本当の親孝行じゃないよ」

「でも喜ばせてもらったことは、本当ですからね」

「じゃ、何かね。栄介がいくら親不孝をしても、かまわんというのかね」

扇風機のスイッチを三から二に切りかえて、洋吉は鼻をこすった。

「かまわないこともありませんけれど、仕方がないでしょう。ああいう生まれつきなんですから」

「そうかね、仕方がないかね」

栄介のような人間に育てたのは、勝江の家庭教育が悪かったからではないかと、詰《なじ》りたい思いが洋吉にはあった。友人を使って恐喝させようとしたことを、勝江にはまだ知らせてはいない。勝江にいえば、すぐに栄介に通ずるのだ。勝江は口どめのきく人間ではなかった。

「ところで隣りの摩理さんだが……」

再び扇風機のスイッチを三に切りかえて、洋吉はあぐらをかいた。寝ても起きても、暑さは身のまわりに、ひしめいている感じだった。

「お前はどう思う?」

「摩理さんですか。きれいな娘さんだと思いますよ」

糸切り歯で、ぷつんと勝江は糸を切った。この糸を切る時の片目をつむる表情は、随分《ずいぶん》昔から知っていると洋吉は思った。

「いや、何だよ、栄介の嫁にだよ」

「あの子は、栄介の嫁になんかきませんよ」

「そうでもないだろう。ボウリングに行ったり、コーヒーを飲みに行ったりしているようじゃないか」

「それだけのことですよ、あなた。ボウリングやコーヒーを飲みに行ってるだけで、嫁になろうとは思っていませんよ」

「そうかね」

「そうですよ」

「どこでわかるかね」

「見ていれば、わかりますよ。第一、あの摩理さんって子は、役者がずっと上ですよ。栄介なんか問題にされていませんよ」

「そうかねえ、それは残念だ」

内心とはうらはらに、洋吉はいった。洋吉は、栄介が摩理に心惹かれているのを知っている。いままで、この世をわがもの顔にふるまって生きてきた傲岸な栄介が、摩理にまったく問題にされていないということは、洋吉には愉快だった。

「そうですか。残念ですか」

「それは残念だよ。お前は、栄介がかわいそうだとは思わないのかね」

「かわいそうだなんて……。かわいそうという言葉は、弱い者につかう言葉ですよ、あなた」

「そうか。じゃ、かわいいとは思わないのか」

「かわいらしいところが、栄介にありますか」

「じゃ、何と思っているんだね」

「何とも思っていませんよ。何と思ったって、自分が生んで育てた子供ですからね、仕方がないでしょう」

「仕方がないか」

五歳までに、子供は一生の親孝行をしてしまうのだという言葉は、甘やかしから出たのではなく、諦めから出た言葉かもしれないと洋吉は思った。

「お前という人間は、変った人間だなあ」

「そうですか」

勝江は抑揚のない声でいった。首すじの汗をふきふき、しかし縫う手を休めぬ勝江の姿に、洋吉はふっと哀れを感じた。何事にも、さして驚かぬ勝江を、ある時は頼りにしながらも、常々は無感動な女だと内心軽蔑してきた。が、いま、洋吉には勝江が愚痴ひとつこぼさぬけなげな女に思われた。

「少し休んだらどうだ」

畳に片ひじをつきながら、いたわりをこめていうと、

「べつに疲れてもいませんよ」

と、勝江の語調は平板だった。

洋吉は苦笑した。どんな言葉も、勝江には沁み透ってはいかないような気がした。いつも洋吉の言葉は、はね返されてくるだけなのだ。

その時、隣りの居間で電話のベルが鳴った。勝江は洋吉の顔を見たが、洋吉はあごで、勝江が出るようにと指し示した。寝ころんでいる自分が出ずに、縫い物をしている妻を出すことに、洋吉はちょっとうしろめたさを感じた。

「はい」

受話器をとった勝江はいった。勝江は、

「真木でございます」

と電話を受けたことがない。いつも無愛想に、

「はい」

というのだ。

「ああ、弘子、そう……」

時折ウンともフンとも聞える相づちを打つだけで、勝江は弘子の言葉を聞いているようであった。

「……ウン……。ウン……仕方がないわね。すぐ行きますよ」

勝江は受話器を置き、テラスのほうをぼんやりと眺めていた。

「勝江、弘子から何の電話だ」

勝江はゆっくりと、うしろをふり返って、静かにいった。

「栄介が溺れたんですって」

「何？　栄介が溺れた？」

洋吉は思わず飛び起きた。

「お前、何で早くそれをいわん。溺れてどうした？　死んだのか」

「死にはしませんよ、栄介は」

「助かったのか」

「手稲の佐久病院に救急車でかつぎこまれたんですって。水も吐いたし、人工呼吸で、正気にもどったとかいってましたよ」

　庭のばらが咲いたと告げるほどにも、感動のない言葉だった。

「のんきなやつだ。すぐ車を呼びなさい」

「何もあわてることはありませんよ。助かったのですから。とにかくスリッパや洗面器や寝巻など、持って行かなければ」

　いいながら勝江は、縫いかけの丹前からすばやく針を取り、針さしにさした。

　その落ちついた、しかし、きびきびとした勝江を眺めながら、洋吉の心もやや落ちつきをとりもどした。と同時に、洋吉は、たったいまの自分の驚きようがふしぎになった。

　栄介が溺れたと聞いた瞬間、洋吉は純粋に驚き、かつ心配した。栄介が死んだのかと思ったのだ。それはまさしく、わが子の危急を聞いた時の、親の心持であった。

　が、いま、栄介が助かったのだから、あわてることはないと勝江にいわれて、洋吉はふだんの気持にかえった。ほっとする一方、

（悪運の強いやつだ！）

という思いもあった。

「だがね、勝江。弘子は急いでくるようにといったのだろう？　わたしたちを驚かさないつもりで、助かったといったのじゃないのかね」

「じゃ、死んだというんですか、あなたは」

大ぶろしきに洗面用具や寝巻などを包みながら、勝江はきびしい顔で洋吉を見た。

「いや、わからないから急げというんだ」

いい捨てて、洋吉は車を呼ぶためにダイヤルをまわした。

栄介は一週間ほどで退院できるということだった。完全看護で附添は不要だったが、勝江は昨日も今日も、朝夕病院に出かけた。

栄介が溺れて三日めの夕食後、真木家の庭の涼み台に、洋吉、勝江、不二夫、弘子、そして摩理もいた。

「しかし、どうして栄介のような泳ぎの達者なやつが溺れたのかねえ」

幾度も繰り返した言葉を、洋吉はいままたいった。日が落ちたばかりの空は明るい。

「わたしも、それがふしぎなの。遠泳だって何度もやっているのに、あんなに穏やかな海で溺れるなんて、考えられないわ」

「カッパの河流れですよ」

勝江の言葉に、不二夫は、

「カッパの河流れか」

とつぶやくようにいい、黙っている摩理に目をやった。摩理は少女のように髪をお下げにして、白いリボンをつけていた。摩理はその不二夫の視線を、弾き返すような強い目で見返した。

「つまりは、人間は失敗するということよね、お父さん」

「そうだね、弘子。人間は自分の好きなこと、得意なことで失敗するものだそうだからね」

栄介が助かって、次第に洋吉はいまいましい思いになっていた。

昨日の夕方見舞に行った時、栄介はふてぶてしく笑っていった。

「おやじさん、人間っていつ死ぬかわからんもんだねえ。どうせ短い命かもしれないんですからね。ぼくは、したいことをして死ぬことに決めましたよ」

死の渦に巻きこまれ、その危機を脱したものらしい謙遜さも初々しさもなかった。人は普通、危機に会うと、日頃の自分を顧み、悔い改める気持を持つはずだった。が、栄介にはまったくそうした態度はみられないのだ。

「おやじさんだって、いつ死ぬかわからないんですよ。金など後生大事に握っていることはありませんよ」

栄介はそういった。栄介の歯が、少し黄色く卑しく見えた。

あの栄介が、したいことをするという以上、もっと悪どい生き方をするにちがいない。

そう思っただけで、洋吉は胃のあたりが不快になった。

(懲りるということのないやつだ)

そう思った時、弘子がいった。

「わたしね、あの人垣をかきわけてみるまで、てっきり不二夫兄さんだと思ったのよ。不二夫兄さん、何となく浮かない顔をして、一人残っていたでしょう。だから……何となく気がかりだったの。どうして不二夫兄さんは、あの時海にはいらなかったの」

「どうっていうことはないけれど……」

不二夫は語尾を濁して摩理を見た。摩理はそしらぬ顔で、うちわを動かしていた。

「摩理さんが、兄の溺れるのを見つけてくれたのよね」

気になっていながら、聞かないでいたことを弘子はいった。

「そうよ。そして助けてと叫んだのよ」

「で、不二夫兄さんが助けたのよね」

「ああ」

「いざとなると、不二夫兄さんって、たのもしいのね」

「いざとならなくてもたのもしいわ。不二夫さんは」

　摩理は明るい声でいった。

「要するに栄介は、摩理さんと不二夫に助けられたわけだね。もう頭があがらないだろう」

「わからないわよ。そんな殊勝な兄貴じゃないもの。……ところで不二夫兄さん、聞き忘れていたけど、不二夫兄さんは、摩理さんが助けてと叫んだ時、まだ浜にすわっていたの？」

「いや、海にはいったばかりさ」

「そう。じゃ、近くにいたの」

「いや、二十メートルぐらい離れていただろうね。なぜ？」

「なぜってことはないけれど、他の人に助けられないで、不二夫兄さんに助けられたことが、ちょっとおもしろいと思ったのよ」

　摩理は弘子を、ちかりと光る目で見、不二夫に視線を移した。

「おもしろいなんてものじゃなかったわ。不二夫さん、大変だったわね。わたしは泳ぎが下手で、何の助けにもならなかったし」

「いや、あなたはお上手ですよ。もしかしたら、ぼくよりも」

「あなたよりも？　まあ、うれしいことをいってくださる」

　にっこりと摩理は笑った。

「ねえ、もしあの時栄介兄さんが死んでいたら、どうだったかしら」

　弘子がいった。

「今日あたり、葬式だったでしょう」

　当りまえの顔で、勝江がいった。何となくみんなが笑った。

「わたし、生きていられなかったと思うわ」

　摩理がいった。

「あら、本当？　摩理さん」

「本当よ」

「どうして？　摩理さんは、兄をそんなにお好きじゃないでしょう？」

「でも、一緒に泳いでいた人が、目の前で死んだら、そんな気持になると思うわ」

「なるほど。そんな気持になるかもしれませんね」

　うなずいたのは洋吉だった。

「でも摩理さんより、お兄さんのほうが泳ぎが上手ですもの。そんな責任を感ずることないわ」

その時、不二夫がさりげなく席を立った。白いかすりの着物が、不二夫をいっそう清潔な青年に見せていた。

「それも、そうね」

テラスから家にはいって行く不二夫のうしろ姿を見送りながら、摩理がいった。

「西瓜が冷えているはずよ。切りましょうか、お母さん」

弘子はそういって家にはいると、不二夫が台所で水を出していた。

「水をのみたいの？　氷があるわよ」

「うん」

不二夫はふり返って、弘子をじっと見た。

「なあに、お兄さん」

「……いや、兄貴のことだけれど……」

「お兄さんがどうかしたの？」

「兄貴は……あれは一人で溺れたんじゃないね」

「ということは？」

「摩理さんが、たぶん事実を知っているはずだよ」

「え、摩理さんが？　じゃ、あの人がどうかしたの？　お兄さんを」

りと持っていた。

「ぼくの推量だけれど……。あとで、ゆっくり話すよ」

不二夫は台所を出て、また庭のほうに行った。弘子は冷蔵庫から出した西瓜を、ぼんやりと持っていた。


「いくら何もないといっても、チーズやバターぐらいはある。まあ、はいれよ」

志村芳之は一緒にきた今野をかえりみてから、玄関の錠をあけた。そして真っすぐに、キッチンにはいっていった。市次郎も治も一日勤めに出る。一日じゅう閉めきっていた家の中は、玄関にひと足踏みいれただけでも、むっとむし暑い。今野は何となくあたりを見廻してから、ゆっくりと靴をぬいだ。

この家にくるたびに、何か抵抗に似た心のひっかかりを今野は感ずるのだ。それは、この家に底深く流れている悲しみへの遠慮かもしれなかった。そして、その悲しみをもたらした栄介の妹弘子と、婚約している者の遠慮でもあった
「ひと雨くるかもしれないな」

早くもランニングシャツ一枚になった芳之が、テラスの戸をあけながら空を見た。灰色の空が重くたわんでいる。

「ああ、降ってくれたほうがさっぱりする」

リビングキッチンの真ん中に立ったまま、今野もネクタイをゆるめた。

「いいネクタイじゃないか」

「うん」

「何だ、ニヤニヤして。彼女のプレゼントか」

「まあ、そういうところだ」

「チェッ、ビールなど飲ましてやらないぞ」

笑いながら、芳之は冷蔵庫からビールを二本出した。今野はテーブルの前の椅子に腰をおろした。

「バターピーナッツと、チーズか。ちょっと待てよ。海苔がある。これにゴマ油をさっと塗って、塩をパラパラとふりかけるんだ。そして片面をさっと焼くとうまいんだ。知ってるか」

いいながら芳之は、浅草海苔にゴマ油を塗りはじめた。

「器用な奴だな」

「器用にもなるさ。男やもめの三人暮らしだからね」

「……そうだなあ」

「よしと、さっと焼いてと……。おい、ビールのせんをぬいてくれ」

「オーケー」

罰

テーブルをはさんで、二人は向い合った。

「うまい！」

一気に飲み干して、芳之がいった。唇に泡がついている。

「お帰りになりましたか」

開け放しになっている玄関で、女の声がした。

「ああ、いま帰ってきたところです」

「小包をお預りしていましたわ」

浴衣姿の四十年輩の女が、小さな小包を持ってはいってきた。あごの細い、品のいい女だった。今野も一、二度顔を合わせたことのある隣家の矢野路子であった。

「あら、いらっしゃいませ」

路子は今野に、西井家の者のような挨拶をした。

「いつもすみませんね、おばさん」

中腰になって、芳之は小包を受けとった。

「鮭を焼いておきましたわ」

「すみません。いつもいつも。じゃ、いただきに行きます」

芳之が路子のあとからついて行った。

今野は、芳之と自分のコップにビールを注ぎながら、女のいない生活の大変さを思った。流し台に、今朝使った食器が、洗われぬままに置かれてある。この家に手伝いにきたいといっていた弘子の気持も、わかる気がした。

「今野、鮭と、なすの漬物をもらってきたよ」

芳之が盆を捧げ持ってはいってきた。

「ありがたい隣人だね」

「まったくさ。彼女は未亡人だし、叔父もヤモメだからね。一緒になればいいと思うんだが
……」

「お互いに、その気がないのか」

ほどよく焼けた厚味の鮭を、今野は眺めながらいった。

「いや、彼女のほうは、かなり気があるようだがね、叔父はとぼけた顔をしているよ」

「なるほど、とぼけた顔か」

「治君は、彼女に好意をもっているようだ」

「異性としてか」

「まさか、十二、三も年上じゃないか」

「十二、三はおろか、二十も年上の女房と仲よくやっている男だって、世の中にはいるからね」

「そりゃ、そうだ。女は年下でなければならない理由はどこにもないからね。おれも五つぐらい年上の、気っぷのいい姉さん女房をもらいたい気になることもあるよ。年下の女っていうのもかわいいものだろうが……」

「ああ、かわいいものだよ」

「こいつ！　のろけてる」

芳之は、今野のコップをとりあげるまねをして笑った。

にわかに部屋が暗くなった。と思う間もなく、バラバラとトタン屋根を打つ雨の音がした。

「おお、降ってきたな」

二人は外を見た。

「太い雨脚だ！」

雷鳴を交えて、みるみる屋根も土も叩きつけるような雨になった。今野は立って行って、テラスの戸を閉めた。

「いいよ、開けておこうじゃないか。むし暑くてかなわない」

二本めのビールの栓をぬきながら、芳之がいった。

「じゃ、開けておこう」

再び戸をあけた今野は、庭木やあじさいの花が、降りしぶく雨に無残に叩かれる様子を眺めた。

「ただいまあ、ひどい雨だ」

　玄関で治の声がした。

「ぬれただろう?」

「ぬれた、ぬれた。車庫からここまで、このとおりだ」

　ワイシャツもズボンも、かかえていた背広も、したたかにぬれた治が居間にはいってきた。

「やあ、いらっしゃい」

「お邪魔して、ひとあし先にご馳走になっていました」

「どうぞ、どうぞ」

　治は洗面所に行って手を洗い、すぐに戻ってきて戸棚からコップをとりだした。

「着更えないのか」

「面倒くさいよ。傭いの着干しだ」

　今野の注いだビールをのむ治の表情が、どこか暗い。

「先生がいちばんおそいんですね」

　今野の言葉に、治がいった。

「今夜は夕食を食べてくるって、電話がきていましたよ。ぼくはてっきり、今野さんも一緒かと思っていましたがね」

「ぼくも？」

「だって……あの人と一緒のはずですからね」

「真木弘子ですか。はてな、彼女は今日は……」

いいかけて今野は口をとじた。

「何だい？　今野」

「うん、いや、まあ話をしてもいいんだが、あの兄貴が今日退院するんだよ」

治の目が光った。芳之が、

「何だ病気だったのか」

黙ってチーズを口にいれた治の堅い表情に、今野は視線をやった。

「いや大浜で、一週間ほど前、溺れてね」

「おぼれた？　あの男が？」

「うん、泳ぎは非常に達者なんだがね」

「海が荒れていたのかねえ」

「いや、海は至極おだやかだったよ。ぼくも一緒に行っていたから知ってるが……」

「なあんだ。今野も一緒に行っていたのか」

「ああ、彼女たちきょうだい三人と、その隣りの家の娘と、ぼくの五人でね」

今野は、その時の様子を詳しく語った。

「ふーん。じゃ、足の筋でもキュッとつまったのかもしれないね」

「そうとしか考えられないが、本人は筋が突っ張ったとも、身体に異常があったともいっていないんでね」

「しかし、遠泳を何度もしている人間が溺れるなんて、考えられないじゃないか」

「まあね、奇妙なことだが……」

それまで、ひとことも口をはさまなかった治が、からのコップを手に持ったまま、皮肉な笑いを浮かべていった。

「奇妙なことはありませんよ。天罰です」

「なるほど、天罰か」

芳之は苦笑して今野を見た。

「天罰ですよ。しかし、どうして死ななかったんだろう。不思議だなあ」

治が空間の一点をみつめるような表情をした。異様に暗いまなざしだった。

「天罰の天というのは、いったい何だろうね。神のことかねえ」

芳之は故意に話題を少しずらした。

「さあね。日本人の天というのは、どうもキリスト教なんかでいう神とはちがって、人格というか神格というか、何かそういったものがないような気がするね。どうも漠然とした感じで……」

「なるほどね、天というと空間的過ぎるというか、広がり過ぎるのかな。しかし、日本の場合は、神といっても、やっぱりニュアンスがちがうね。狐が神にまつられて神社になったりさ。戦死した人間がまつられて神になったりしてね」

「うん、絶対者としての神じゃないんだね」

再び皮肉な微笑を浮かべて、二人の会話を聞いていた治がいった。

「天が神かどうかはともかく、天罰ですよ。しかし、天罰にしては少し生ぬるいような気がしますね。本来なら、あんな奴は、疾《と》うにくたばってもいいはずですからね」

「乱暴なことをいうね、今野の前で」

芳之の言葉に、治はあわてたようにいった。

「あ、失礼しました。考えてみたら、今野さんは、彼の義弟になるわけですものね。そうか、今野さんは敵の陣営だったのか」

「敵も味方もないですよ。ぼくにとっては」

今野はチーズをのみこんで、おだやかにいった。

「それは、そうでしょうね。今野さんは、ぼくにも、あちらにも恨みがあるわけじゃない。そうだ、今野さんがあの人と結婚するとなると、ぼくも考えなおさなきゃいけないな。ね、芳之さん」

にわかに治の語調がやわらいだ。

「考えなおすって、何をだい」

「つまりさ、今野さんは、ぼくの将棋友だちでしょう。友だちの奥さんとなると、やはりちゃんと礼もつくさなきゃならないでしょう」

「もちろんそうだよ。しかし、どうした風の吹き廻しかね」

急に打ちとけた治の態度に、うさんくさそうに芳之はいった。

芳之が今野をこの家に誘い、今野もわざわざ真駒内のこの家まで出かけてくるのには、理由があった。市次郎と治の関係がどうもしっくりいかない。その原因は、いうまでもなく市次郎が弘子と親しくしているところにある。

治に親近感をもたれている今野が、時折西井家に出入りすることによって、栄介に対する気持はともかく、今野の婚約者である弘子への気持は和らげてもらえるだろう。これが芳之のねがいであり、同時に今野のねがいでもあった。

が、治の態度は硬化こそすれ、真木家に対して心をひらく様子はまったくなかった。それがいま、ふいに治の態度が変ったのだ。

「そんな疑わしい顔をしないでくださいよ。ぼくだって、今野さんのような人には、やっぱり長くおつきあいねがいたいですからね」

治は珍しく、ちょっとてれたようにいった。

「ふーん、そうか。それが本当なら、乾盃ものだね、なあ、今野」

「志村、治君の気持は本当だよ」

「そうですよ。正直いって、あの兄貴のことは簡単には割り切れないとしても、今野さんたちに対しては気持を改めますよ」

「ありがたいですね、西井先生も喜ばれますよ」

「ああ、そうか。おやじまで喜ばせることは、計算にいれていなかった」

鬱病から躁病に移行したような治の態度に、いささかひっかかりを感じながらも、芳之はやはり悪い気がしなかった。

「こうなったら善は急げだ。今野、そのうちに弘子さんも連れてこいよ」

「ああ、彼女も喜ぶことだろうね。このところ、彼女もちょっと妙な電話に悩まされていたしね」

「何だい、妙な電話って」

「いや、とりたてていうほどのことでもないんだが、時どきどこかの女から、今野の過去を知ってるか、知っていて結婚するのかなんて、電話がかかってきてね」

「おいおい、今野。お前も女を泣かせたことがあるのかい」

電灯の下に、血色のいい芳之の顔を今野はみて、

「まじめに答えれば、冗談じゃないというところだろうね」

「ふまじめに答えると？」

「同じだよ」

「だろうな。おまえは女を泣かすようなまねは、できない男だからね」

「そうらしいな」

「その電話は、無論いやがらせだろうが、よほどきみという人間を知らない奴の仕業だな」

「まあね。彼女はぼくを信じてくれているから、二人の間には、べつに何のひびもはいらないがね。しかし、閑な人間もいたものだよ」

「誰かの言葉に、一人の結婚は十人の悲しみ、という言葉があったねえ。たぶん、今野の結婚を悲しんでいる女の子がいるんだよ。心あたりはないのか」

芳之は口に近づけたコップをテーブルに戻した。

「さあてね。ぼくはもしかしたら、彼女の結婚を悲しんでいる、どこかの男の仕業じゃない

かと思ったがね」

　治がつと立って冷蔵庫からビールを出した。

「しかし、電話の声の主は、女だろう?」

「そうだよ。しかし、電話の主は、必ずしも当の本人とは限らないからね」

「そうかなあ。治君はどう思う?」

　黙って二人の話を聞いている治に、芳之が尋ねた。

「どうって、ぼくにはわからないなあ。今野さんも女の子にもてそうだし、あの人も男に好かれそうだから、そんな電話があっても、おかしくない気がしますよ」

「おかしくない気がするか。なるほどね。しかし、そのいたずら電話をしたい心理はわかるなあ。おれだって、心ひそかに好きな女性がいるとしてさ。いや、もう始終、心ひそかに、あるいは大っぴらに好きな女性はいるけれどね。その好きな人が結婚するなんて聞くと、いらいらしてしまうからね。相手が交通事故ででも死なないかなんて、まじめに考えていることがあるからなあ」

「へえー、芳之さんでも、そんなこと考えるんですか」

「考えるさ。今野はどうだ?」

「女のことではともかく、いやがらせの電話をかけたいという卑劣さは、ぼくにもあるな。

公害をもたらす会社の社長宅なんかね、ひと晩じゅう電話をかけてやりたいような気持になったことはあるよ」

「やれやれ、以外と純情だな。ＨＫＳのディレクターも」

「しかし、いくら何でも、か弱い女にいたずら電話は、かける気はしないね。それほど落ちたくはないなあ」

「今野ってのは、落ちなさすぎるよ。そこがきみの欠点だと思うよ。治君はどうだい、いたずら電話をしたいと思ったことがあるかい」

「ぼくか。ぼくは内向的だからね。始終そういう気になっているね。ただし、実行する勇気はまったくないですね。勇気はないけれど、ぼくはいつも落ちて落ちて、落ちぶれてますよ」

「これはまた、いやに素直だ」

「いたずら電話はしたことはないが、ぼくは尾行したことはありますよ。犬のような奴ですよ、ぼくは」

「何だ、おまえ、アルコールがはいると、ざんげ癖になるのじゃないか」

芳之は楽しそうに笑った。

今野は黙って、すっかり暗くなった庭に目をやった。雨はいつのまにか小降りになったのか、音もしない。

今野は、なんとなく、治がいたずら電話の犯人だと思っていた。が、今夜の様子では、そうともいいきれない。といって、先入観がまったく消え去ったわけでもない。

「カーテンをしめようか」

今野は立ちあがって、テラスのカーテンをしめた。しめながら、ふっと詩人エリオットの言葉を思い出した。

「人間ぎらいだったのかな、エリオットは」

椅子に戻った今野がいった。

「何だい、やぶから棒に」

「いや、エリオットの言葉を思い出したんだ。動物はまことに気持のいい友だちである。彼らはいかなる質問もしないし、いかなる批評もしないと、彼はいっているんだ」

「なるほどね、それは、質問されたくないことを持っているという証拠であり、批評されたくない生活をしているという証拠だね。おもしろいね」

芳之が答えた。

距離

距　離

「栄介、栄介」

勝江の呼ぶ声が、庭にいる洋吉にも聞えてくるというのに、二階にいる栄介には聞えないのだろうか。紺と白との細い横縞の浴衣を着た洋吉は、手折ったあじさいを手に持ったまま、栄介の部屋の窓を見上げた。

白いレースのカーテンが風に揺れている。たった今、昼食を終って二階に上っていったばかりなのだ。栄介が退院してきて五日めである。いま家には、学校が休みになった洋吉と、来週から出勤するつもりの栄介と、そして勝江の三人だけで、不二夫も弘子も出勤している。

静かな午後である。近所の子供たちの声もしない。晴れた空に、旅客機が機体の半分をまばゆく光らせて飛んでいる。あじさいを片手に空を見上げていた洋吉は、夏休みの間に、自分も飛行機にでも乗って、またどこかに旅行してみたいと思った。

が、暑い本州に行く気はない。機影が視界から消えた時、洋吉は家にはいった。

「栄介に何の用だね」

「いえね、快気祝を、おとなりの摩理さんのところに、お届けしたらと思いましてね」

「栄介がか」

「摩理さんのところぐらい、栄介がお届けしてもいいでしょう。何かとご心配をおかけしたんですから」

「それもそうだが……」

洋吉は洗面所に行って、水道の蛇口をひねった。あじさいは水あげを充分にしなければ、すぐにぐったりと萎れてしまう。

「白い壺を出してくれ」

夏休みにはいり、家にいるようになってから、洋吉は退屈で花まで活けてみたりする。停年退職後、もし職もなく毎日家にいなければならなくなったとしたら、退屈でかなわないだろうと洋吉は思った。

もともと、りんご園に育った洋吉は、からだをこまめにつかうことが好きなのだ。何か仕事をしていなければ、落ちつかない。

勝江の持ってきた白い壺にあじさいを活けて、テレビの上に置いた。

「栄介一人で挨拶にやるより、お前もついて行くといいね」

「わたしはこれから、街まで買物に行く用事もありますよ。じゃ、あなたがついて行ってくだされば?」

勝江は返事も聞かずに、着更えのために隣りの部屋に引っこんだ。

「何です? 大きな声で、栄介、栄介って」

二階から白がすりを着た栄介が降りてきた。隣りの部屋から声がした。

「摩理さんのところに、快気祝をお届けしてよ、お父さんと」

「快気祝? 溺れても快気祝なんか要るのかなあ」

「そりゃあ要るわ。お見舞をいただいているんですからね」

「ふーん」

気のなさそうに、栄介は洋吉の前のソファにあぐらをかき、

「今日限りか、七月も」

と、壁のカレンダーを見た。その栄介の顔を洋吉は眺めやった。さすがに少し頬がこけている。

「ちょっと顔を出してこよう」

「何を持って行くんです?」

「タオルケットですよ。玄関に置いてありますからね」

隣りの部屋から再び勝江の声がした。

「じゃ、栄介、行ってこよう」

洋吉が立ち上ると、

「ぼく一人で行けますよ。子供じゃあるまいし」

「いや、お父さんはお父さんで挨拶をしておくよ」

「ばかばかしい」

栄介は吐き捨てるようにいい、それでも洋吉のあとに従った。

「こんなものをもらって、ありがた迷惑じゃないのかなあ」

栄介はタオルケットの包みを持って、門を出た。

「まあ、持ってはいられるだろうがね」

「商品券にでもするといいんですよ」

ぶつぶつと栄介は文句をいった。自分の快気祝を親に用意してもらって、何の文句があるのかと、洋吉はむっとした。

摩理の家のまるいピンクのボタンを押すと、なかでオルゴールの鳴る音が聞えた。

「どなたさまでしょうか」

なめらかなアルトが、快く耳をくすぐった。

「真木ですが……」

洋吉がいうと、

「まあ、お隣りの小父さま？　お珍しい。ちょっとお待ちになって」

弾んだ声が返ってきた。自分の訪問を、こんなふうに喜んでくれるのは、うれしかった。

ドアがガチャリと音を立ててあき、摩理が顔を出した。

「まあ、いらっしゃいませ。あら、栄介さんもご一緒？　小父さまは初めていらっしゃったのよね、うれしいわ」

招じられて、二人は画室にはいった。

「ごめんなさい。ここが応接室兼画室になっているんですの」

描きかけたばらの絵が、画室の中央の画架にかけられているだけで、いつもより部屋が広い感じだった。

「なるほど、ここで描いておられるわけですか」

もの珍しそうに、洋吉は部屋を見廻した。

「どうしたんですか。絵は一枚もなくなったじゃありませんか」

チェアーに腰をおろしながら、咎めるように栄介は摩理を見た。

「おかげさまで、全部売れてしまいましたの」

「全部？　この前は、まだ七、八枚はありましたよ」

「そうよ。今日も二枚売れて、いま帰ってきて着更えたばかりなの」

　摩理はうす青いワンピースを着、髪をアップにきれいに結いあげていた。

「摩理さん」

　改まって洋吉が、

「このたびはとんだお世話になりました。栄介の入院中には、毎日のようにお見舞をいただいて……。おかげさまで栄介も、来週から勤めに出られることになりまして……」

「まるで餓鬼扱いですね、これでは」

　栄介は苦笑し、

「ま、そういうわけです。これが快気祝とかいう、形式的なお返しで、タオルケットだそうです。商品券のほうがいいって、ぼくはいったんですがね」

「まあ、ごていねいに恐れいりますわ。栄介さん、わたし、タオルケットをほしかったのよ。冬に札幌に来たでしょう。だから、冬物しかなかったの。小父さま、ひらいてよろしいかしら」

　早速包みをひらく姿を見ながら、洋吉はかわいい娘だと思った。

「まあ、すてき！　すてきねえ」

　タオルケットとはいっても、ビロードのような手ざわりの生地で、しかも歌麿の『ビードロを吹く女』を模した模様である。

「へえ、これはいい！」

思わず栄介も叫んでから首をすくめて、

「うちのおふくろも、意外とセンスがいいんだよなあ」

「あら、小母さまは大変粋な方よ。現代の先端をいっていらっしゃるわ」

「まさか」

「まさかじゃないわ」

「コールドハートのところは、たしかに現代人ですけれどね」

栄介は笑ったが、

「ちっともコールドハートじゃないわ。人生の達人よ」

「なるほど、見方ですなあ」

妻を人生の達人といわれて、洋吉もにやりとした。もし、物事に動揺しない人間を人生の達人というならば、たしかに勝江は達人であった。栄介が海に溺れたと聞いた時さえ、勝江はおどろきもせず、あわてもしなかった。

「小母さまには、これっぽっちの悪意もないし、いつも落ちついていらっしゃるし……」

「そんなにほめられると、おふくろは感激しますよ。……いや、うちのおふくろは感激ということを知らない人間だから、何とも思わないかな」

「ひどいことばかりおっしゃる。ところで、メロンが冷えていますのよ。召し上ってくださる?」

タオルケットを箱におさめながら、摩理は少女のように愛らしく首を傾けていった。

「いや、おかまいなく。今日はただ、お礼に伺っただけで……」

「そんなことをおっしゃらずに、ごゆっくりなさって。小父さまは、初めておいでくださったのよ」

摩理はメロンを切りに台所に立とうとして、

「あら、忘れていたわ」

と、左手の中指からダイヤの指輪をぬき、出窓の下の押入れをあけた。そこに高さ三十センチほどの小ダンスがあり、そのひきだしの一つをあけて、エンジ色の小箱に指輪を入れた。

摩理が押入れの戸を閉め終るまで、栄介は蛇のようなまなざしで見つめていたが、摩理が立ち去ると、ニヤリと笑った。その栄介の様子を洋吉が不安そうに眺めていた。

「わりとおいしそうよ」

摩理はレモン色の果肉の夕張メロンを、テーブルの上においた。熟したメロンの芳香が漂った。

「どうぞ、召し上って」

「これはこれは、どうも……」

スプーンを持ちながら、洋吉は摩理の指輪のことが気がかりだった。栄介の表情は、まさに獲物を狙う動物の目つきに似ているような気がする。とろけるようにやわらかいメロンを舌の上にのせながら、洋吉は落ちつかなかった。

と、玄関に誰か来たらしく、ブザー代りのオルゴールが鳴った。摩理がインターホーンを手にとった。

「どなたさまでしょうか」

「摩理さん、わたしよ。うちの栄介たちがお邪魔していますわね。真木に電話が来ていますって、おっしゃってください。わたしはちょっと出かけますから」

勝江はそういうと、そのまま門口を立ち去ったようであった。

「小父さま、お電話ですって。終りましたら、またおいでくださいね」

洋吉は食べかけのメロンを置いたが、

「もったいないから、ここでちょっといただいていきます」

と、メロンを急いで、スプーンで口に運んだ。

洋吉が出て行くと、栄介は目の前の摩理を、はじめて見る女のように、まじまじと見た。

「何をごらんになっていらっしゃるの」

「摩理さんって、恐ろしい人だなあと思って、見ていたんですよ」

「あら、こんな愛らしいわたしが恐ろしいんですか」

つややかな唇がほころんだ。

「摩理さん、ぼくが溺れたのは、なぜか知っているでしょう」

「なぜか？　いいえ、存じませんわ。足の筋でも、つったのかしらって……」

「知らないとはいわせませんよ」

栄介は食べ終ったメロンの皿に、スプーンを音立てて置いた。

「いやねえ、栄介さん。何を怒っていらっしゃるのよ」

「あなたは、海の中で、ぼくの脾腹《ひばら》をいやというほど強く突いたじゃありませんか」

栄介は注意深く摩理の表情を見守った。

あの日栄介は、摩理に背泳ぎを教えていた。あまり泳いだことのない摩理だが、のみこみは早かった。摩理の水着姿が美しかった。想像よりも肉づきがよく、胸も豊かだった。

水の中に浮き沈む太ももが、栄介の心をそそった。手をかすふりをして、内股のあたりにさわったとたん、栄介は脾腹のあたりに一撃を加えられたのだ。

「うっ」

と息をのんだあとは、栄介自身にもわからない。気づいた時は砂浜の上だった。

最初、栄介は脾腹を摩理に突かれたとは、思わなかった。瞬間的に、海中で何かからだに異変が起きたのかと思った。が、ベッドの上で、ふっと、いつか摩理が冗談のようにいったことを思い出したのだ。

「わたしは、から手三段なのよ」

摩理は確かそういった。

海中で摩理に触れたとたん、摩理はその手かひじで、自分の脾腹をしたたか打ったにちがいない。とすれば、あの奇妙な溺れ方も納得できる。が、そうであるならば、あまり泳ぎの上手でない摩理が、海の中でから手をつかったことが、納得できない。もしかしたら、摩理は本当は泳ぎが上手なのかもしれないのだ。初心をよそおっていただけかもしれないのだ。が、何のために下手なふりをしていたのであろう。

そんなことを思いながら、さすがの栄介も、女性に対してはじめて無気味さを感じたのだった。

いままで、栄介のつきあった女性たちは、栄介の誘惑に、実にやすやすと身をまかせた。あっけないほどであった。ちょっと抵抗するしぐさはしても、その前に気持は充分に傾いていた。彼の誘いを待ってさえいた。

ひとり紀美子だけは本気で抵抗したが、それも長くはつづかなかった。摩理のように、こちらの気を失わせるほどの当て身をくわす女はいなかった。

もしあの時、不二夫の助けが遅ければ、自分は死んでいたかもしれないのだと思うと、目の前にいる摩理のばら色の頬や、きらきらと輝く黒い目が、美しければ美しいほど、無気味でもあった。

「わたしが突いた？　あら、そうですか。あんなくらいのことで、あなたが溺れたの？　それは知らなかったわ」

摩理はスプーンを手に持ったまま、おかしそうに笑った。

「あんなくらいのことじゃありませんよ。あなたは力いっぱい突いたじゃありませんか。あのくらい突けば、どんなになるか、よく知っていてやったのでしょう」

「栄介さん。あなたね、女にひと突きされて溺れるほどの弱虫なの？　それなら、何も、海の中であんないたずらをすることはないのよ」

「恐ろしい人だなあ、あなたは」

栄介はダイヤモンドを思い浮かべて、怒るのをやめた。

「栄介さん、正当防衛は認められるべきよ」

「なるほど、あなたは弁護士さんのお嬢さんでしたっけ。しかし、あの時、ぼくが死んだら、あなたに殺されたということになる」

「本望でしょう？　栄介さん。女のひじ鉄で往生するなんて、あなたらしくてご立派よ」

「ひどい人だなあ」

栄介は笑うよりしかたがなかった。

「あなたは、ぼくが死んだら、自分も生きてはいられないとおっしゃったそうですね。やはり、ぼくにすまないと思ったのですか」

「すまないとは思わないわ。栄介さんの自業自得ですもの」

「顔に似合わぬことをいう」

栄介の視線が、ダイヤの指輪をしまった地袋に流れた。

「とにかく、人間は自分の好きなことで、身をほろぼすんですってよ。お気をつけ遊ばせ」

この時、栄介はダイヤの指輪をこの女から奪ってもかまわないと、心から思った。もうためらうことはないのだ。摩理は勝ちほこっている。人を死ぬめにあわせておいて、ひとことの謝罪の言葉もないのだ。

女のからだに触れることが、死に価することだとは栄介には思われなかった。摩理は不当に自分を遇したのだ。もし、ダイヤを盗んだのがばれてもかまわない。摩理を殺人未遂で訴えると脅してもよいと思った。

　栄介はニヤニヤして、

「好きなことで身をほろぼすか。本当に、ぼくはあなたのひじ鉄で死ねばよかった。不二夫がいらぬ節介をしたばっかりに、せっかくの極楽往生を妨げられましたよ」

　この女は自分をなめている。俺の恐ろしさを知らないと、栄介は腹の中で嘲笑っていた。

「不二夫さんって、沈着ねえ」

「そうですか」

「不二夫さんは、恋愛をなさったことがあるかしら」

「さあね。あいつはあまりもてない男だから」

「そうかしら。男の方のなかには、自分でもてると思っていらっしゃっても、実はもてるのではなく、もてさせてもらっているみたいな人が多いのよ。本当にもてる男性というか、好かれる男性は、遠くから女性に憧れの目で、じっとみつめられているものなのよ」

「…………」

「不二夫さんは好かれる男性よ」

「ぼくはどうです」

　再び栄介はニヤニヤした。

「不二夫さんには及ばないわ」

「ひどいことをいう。とにかく、またひとつたのしみが増えましたよ」

「え？　たのしみ？」

指輪のこととは、摩理も思わなかった。


テレビ局の角をまがって、北一条通りに向った途端、ふいに埃をまきあげて、風がおそいかかった。小さなつむじ風だ。思わず弘子は目をつむり、両手で茶色のプリーツスカートをおさえた。右手にぶら下げていた皮のハンドバッグが、膝にあたった。

風をやりすごして、ほっと目をあけると、

「いま、お帰りですか」

目の前にニコニコと笑顔を見せた志村芳之が、西井治とともに立っていた。

「まあ、しばらくでした」

弘子はどぎまぎして頭をさげた。治を見た瞬間、胸の中を鋭い痛みが走った。

「お帰りの頃だろうと、実は待ち伏せしていたんですよ」

「……待ち伏せ？」

「そうです。弘子さん、この男をご存じですか」

志村は、おどけてわざと人さし指を突きつけるように治の胸に向けた。

「ええ、あの……」

「改めてご紹介しましょう。西井治という悪い男です」

「悪い男はひどいよ。その節はどうも失礼しました」

ちょっと固くなった治が、それでも微笑を浮かべて頭をさげた。

「こちらこそ、失礼いたしました」

ふいに胸の熱くなるような思いで、弘子は治を見た。

正月に西井家を訪ねた夕べのことを、弘子はむろん覚えている。あの時弘子は、

「あなたがひとこと詫びれば、わざわざおいでくださってと、ぼくたちが感謝するとでも思ったのですか」

と治に意地悪くいわれ、

「目には目をという言葉を知っていますか」

と、激しい語調で迫られたのだ。

口をきくのは、それ以来はじめてのことである。

「土曜日だというのに、今野とご一緒じゃないんですか」

「残念ながら、ビデオどりが午後までかかるんですって」

「やれやれ、いまどき、土曜も半日じゃないなんて、気の毒な話だ。実はね、あなたがたとおひるを一緒にと思ったんですがね、今野の都合が悪ければ、またにしますよ、な、治君」

「……ああ、ぼくは」

治は口ごもった。

「じゃ、そのうち、またお目にかかりましょう」

志村は明るくいって、道の傍に置いてあった車のドアをあけた。

「失礼します」

一礼して治は運転台に乗りこみ、つづいて志村が助手台にすわったが、二言三言何かいって、志村は再び車から降りた。

警笛を小さく鳴らし、目礼する治に、弘子はていねいに頭をさげた。治の車はたちまち走り去った。

「驚いたでしょう。待ち伏せたりして」

弘子と並んで、治の車を見送っていた志村が、快活にいった。

「ええ、ちょっと。でも、うれしく思いましたわ」

「そうですか。そういってくださると、ぼくも安心です」

志村はタバコをくわえ、ライターを近づけながら、弘子を見てニコッと笑ったが、

「治君のことについて、ちょっとお話をしたいんですが、もし、差しつかえなければ、少し歩いていただけませんか」

と、真顔になった。

志村とは、今野や市次郎を交えて食事をともにしたこともあり、時折、局に今野を訪ねてくることもあって、かなり親しみを感じている。ひるの街を少し歩くぐらいのことは、べつだん今野にたいして悪いこととも思えなかった。それよりも、いま弘子は、治の話なるものを聞きたかった。

「どうぞ。おともしますわ」

「そうですか。しかし、弘子さんは食事はまだすんではいないんでしょう」

「わたしはまだよ。志村さんは？」

「ぼくもまだです。じゃ、おにぎりでも買って、大通り公園の芝生ででも食べますか」

「それは楽しいわね」

二人は舗道を並んで歩きだした。

「治君ですけれどね。奴、急にあなたにたいして、軟化してきましてね。今野からお聞きになったでしょう」

「ええ。火曜日に早速伺いましたわ。でも、いま、ああしてお目にかかるまでは、わたし信じられなかったんです」

「無理もありませんよ。若い者らしくもなく、頑固な奴でしてね」

「でもね、志村さん。若いわたしたちって、意外と頑固じゃないかしら」

「そうかなあ」

「そうよ。頑固は何も、老人ばかりじゃありませんわ。若いわたしたちだって、親や年上の人の忠告も聞かずに、何をしたって自由だよみたいなところがあると思うの。耳をかたくなにふさいでいることが、案外多いんじゃないかしら」

「そういわれれば、そうかもしれないなあ。と、すると、治君ばかりが頑固というわけではないということか」

二人はグランドホテルの前を通って、電車通りに出た。角のそば屋の前で、白衣を着た少女がトウキビを焼いている。妙に淋しい顔をした少女だ。

「そうよ、治さんは頑固というのではないわ。紀美子さんのことを思ったら、とてもわたしなどとは、口も利きたくないはずよ」

「それはそうですね」

電車の音が、時どき車の音より大きく響く。弘子は、治が本当に自分に心をひらいてくれたのだろうかと思った。まだ何か信じ難い思いでもあった。といって、今野から治の態度を伝え聞いた時の感じとは、たしかにちがう。たったいま見た治の顔は、いくぶん固くはあっても、和やかであった。まちがっても、もはや、「目には目を」などとはいうまいと思われた。まだ直接ゆっくり話し合ったわけではない。いくらか心もとなさがあるのも当然であった。とにかく、きょう治を見たことは、思いがけない現実として弘子は喜びたかった。

「やっぱり、今野が治君と知り合いになったのが、よかったのでしょうね」

「そうね。志村さんのおかげですわね」

もし志村が、今野と友人でなければ、一生自分は治の恨みを買ったままであろう。

ホテルの筋向いの果物店に、二人ははいって行った。果物店といっても、店の半分だけが果物を売っていて、左半分は、すしやにぎり飯を売っているコーナーや、牛乳やパンを売るコーナー、菓子を売るコーナーなどに分かれていた。

「おふくろの味というおにぎりがいいな」

志村が大きな声でいうと、売子がくすくすと笑った。好意のある笑顔だった。

飯粒ひとつ見えぬほどに、つややかな浅草海苔につつまれた「おふくろの味」を四つと、パック入りの牛乳を二つ、そして六個はいったプラム一ケースを志村は買った。

「わたしが持ちますわ」

店を出て、弘子が紙袋を志村から取ろうとすると、

「いやいや、ぼくはね、めめしくできていましてね。あの人かわいそうに、奥さんに敷かれてと、同情される夫族になりさがる日を、唯一の楽しみに生きているんですよ。いまからその練習ですから、ご心配なく」

と、志村はかかえた紙袋を渡さなかった。今野も気性のさっぱりとした男だが、志村も劣らず気持のいい人間だと、弘子は微笑した。

店を出て、百メートルほどのところに大通り公園があった。公園は長さ千二百メートルもあるが、幅は六十五メートルほどの緑地帯で、正しく大通りなのだ。

放射状のまるい噴水のまわりには、石のベンチが幾つもあって、老いた者も若い娘も腰をおろしていた。道外からの旅行者らしく、大きなリュックサックを枕に、芝生に眠っている者もいる。曇った空の下を、折々風が吹きぬけていくたびに、噴水のしぶきが水煙となって風下にいる人々の衣服にかかる。

二人はそこから少し離れて、芝生に腰をおろすとにぎり飯を食べはじめた。

「このおふくろの味は、治君の好物なんですよ」

ひとくち頬ばってから、志村はいった。

「まあ、お淋しいわねえ」

　母親も妹も失った治の心を弘子は思いやった。

「男なんて、みな淋しい奴らですよ。いくら威張ってみても、おふくろだのワイフだのがいないと、やはりろくな生活ができないんですよ」

「そうでもないでしょうけれど……」

「いや、そうですよ。いくら頭がよくて、度胸があって、仕事の出来る強い男でも、結局はワイフによりかかっていますよ。ぼくなんか、新聞社にいて、いろいろな人間に会うんですがね、そのたびに思うのは、立派な男には立派な女房がいますよ。女房に死なれて、からっきし意気地のなくなるのもよくみますし」

「そうですか」

　弘子はおにぎりをつつましく口に運びながら、志村は治の何について語ろうとしているのか、少し気になっていた。

「そうですよ。だからどんな男だって、女なしでは仕事ができないっていうことです。男は、それをいさぎよく認めるべきなんです」

　志村は、もう二つめの握りめしにかじりついていた。

「もっとも、なかには妙なことをいうのもいますがね。誰だったかなあ。人間には男性と女性がいるのではなくて、男類と女類があるんだっていっていましたね。男類と女類はまったく別の生きものだって」

「どういう意味かしら」

「要するに、人間のなかに男性と女性があると考えないで、男という種類の、女という種類の、まったくちがった二種類の生きものと見るらしいんですよ。別の生きものだから、所詮理解しあえないっていうんですね。これはよほどリモートコントロールの下手くそな男の言葉じゃないですかね」

「たぶんそうね。男も女も同じ人間ですのにね」

「今野なら、あなたのことを女類などとはいわないでしょうね」

「でしょうね」

「ところで、治君のことですがね」

　おにぎりを二つ食べ終った志村は、ポタポタと果汁のしたたるプラムの皮をむきながらいった。

「彼のいままでの態度を、許してやってくれますか」

「それは、わたしのほうこそ、謝らなければならないと思っていますわ」

「ありがとう。あいつは悪い男じゃないんです。しかし、何といっても紀美子さんの死に方が哀れでしたからね。いわば取り乱していたんですよ。取り乱す期間が、少し長かったようですが」

「当然ですわ。わたしの兄がひどすぎるんですもの」

「あなたって、感情的にならない人だなあ。治君には、ずいぶんとひどいことをいわれたというのに」

「だって、おっしゃるのが当然ですもの」

「じゃ、本当に許してくださっているんですね」

「勿論ですわ。でも、治さんは兄のことは、許してはくださらないでしょうね。おたずねするまでもないことでしょうけれど」

「……それは、仕方がないでしょう。しかし、月日がたてば、変るんじゃないですか。時が解決すると思いますよ」

「でも時の解決というのは、本当の意味では解決とはいえないって、何かの本で読みましたわ」

「ま、それは、そうでしょうね。しかし、人間というのは、時がたって、怒りがとけたり、憎しみがうすらいだりという、そんな解決のしようしかない、お粗末な存在なんですよ。愛によって許すとか、寛容の故に許すという高尚なことは、ちょっと無理なんじゃないですか」

「そうかもしれませんわね」

弘子は、栄介をふくめて自分たち家族が、治に心から許してもらえたら、どんなに気持が楽になるだろうと思った。が、心のどこかに、そうした期待を阻む何かがひっかかっているのを感じた。それがどこからくるのか、弘子自身にもわからなかった。

「とにかく、あなたが治君のことを、悪く思っていないということで、安心しました。彼もああいう性格ですからね、いつもスカッとしていけるかどうかわかりませんが、少なくとも、あなたに対する気持を変えようとしていることだけは、認めてやってください」

いい終ると腕時計をのぞきこんで、

「あぶない、あぶない。忘れるところだった。今日これから二時までに原稿をもらいに行く約束があるんです」

志村はあわてて立ちあがり、立ちあがってから、

「まだ四十分ほどありますね。こんなにあわてることはなかった。失礼しました」

と笑って去って行った。

志村の立ち去ったあと、弘子は頭の芯がひどく疲れているようで、しばらくぼんやりとすわっていたが、不二夫に電話をかけてみようと思って、近くの電話ボックスにはいった。

不二夫の銀行のすぐ近くの静かな喫茶店に、弘子と不二夫はさっきから向い合っていた。二階まで吹きぬけになっていて、白い手すりの広い螺旋階段が、モダンな雰囲気をかもしだしている。

三人ほどいるウエートレスの少女たちは、みなお下げ髪を両肩に垂らし、水色の蝶リボンをつけている。黒い髪に水色のリボンが、目にしみるような新鮮さだった。

土曜日だが、銀行員の不二夫は、仕事が終ったのは、例のごとく三時だった。それまでの間、弘子はデパートや本屋をぶらついて時間をつぶした。

「……何となく不自然だなあ」

「何が？」

「治なる人間が、弘子の帰りを待っていたなんてさ」

「そうね。そういう気がしないでもなくなってきたのよ。でも、あんなふうな形が、かえって気まずくなくてすむと、志村さんは思ったのじゃないかしら」

すぐに車で立ち去った治を思い浮かべながら、弘子はいった。

「それにしても、目には目をなんて、どぎついことをいった男が、自分から会いにくるなんてねえ。まあ、人間というものは、そうそう一貫していられないものだけどねえ」

「お兄さん。本当に治さんは、わたしと親しくなろうとしているのかしら」

半分になったアイスコーヒーに、弘子は口をつけた。

「話を聞いたかぎりでは、そうらしいが、ぼくとしては、不自然な感じなんだよ、何となく」

「じゃ、本当は心をひらいているわけではないというのね」

「うちの兄貴が、非情な態度だったからね。まだ死んで一年もたたない、なまなましい悲しみの中にあるんだからね。まあ、今野君が先方と親しくしていることもあるだろうけれど……。ぼくには何となく無理をしているって感じなんだ」

不二夫はタバコの煙を目で追いながら、考えぶかげにいった。

「無理をしてる？」

「うん。何のために、そんな無理をするのか、その辺がわからないんで、気にかかるんだろうなあ」

「何だか、不安になってきたわ」

「いや、これはぼくの感じ方だからね。今野君はべつに、不自然とは思っていないわけだろう？　弘子」

「何となく、てのひらを返したようだとは、おっしゃってたけれど……」

「てのひらを返したようか。それはそうだろうね。しかし、まあ、人間というものは不可解にできているものだからね。自分のものさしでは測りきれないよ。となりの摩理さんにしても……」

　不二夫は口をつぐんだ。

「摩理さん？　摩理さんがどうかしたの」

「まあね……。不可思議な人だよ、あの人も」

「魅力的ですものね、摩理さんは」

「魅力的ということと、不可思議ということはちがうよ」

「それはそうだけど」

　不二夫はタバコの火を、切子ガラスの透明な灰皿に押しつぶしながら、何か考えているようだった。

「お兄さん、好きなの？　摩理さんのこと」

　不二夫は弘子を見、ちょっと笑ったが、すぐに真顔になって、

「……実はね、兄貴が溺れたのを助けたのは、ぼくじゃないよ。あの人なんだ」

　一瞬弘子は、聞きちがいではないかと思った。摩理が、溺れた栄介を助けたなどとは、想像もできなかった。

「まさか」

　弘子は不二夫を見た。

「まさかと思うだろう。彼女は泳ぎはうまいよ。兄貴よりも、ぼくよりも、うまいはずだ。前にもちょっといったけれど」

「そういえば、そういってたわね。じゃ本当なのね、摩理さんが栄介兄さんを助けたってこと」

「本当さ。助けてえと叫ぶから、行ってみたら、彼女がぐったりした兄貴をかかえて、泳いでいてね。むろんぼくがすぐに手を貸したがね。その時彼女は、助けたのは不二夫さんだということにしておいてねって、いったんだ」

「なぜかしら」

「いや、いろいろと事情があったんだねえ……」

不二夫の表情が不安定だった。

「このあいだ、不二夫兄さん、いってたでしょう？　お兄さんはひとりで溺れたわけではないようだって。あれはどういう意味？」

残り少なくなったコーヒーを手前に少し引いて、弘子はいった。

「それは……」

一組の男女が、二人の傍らを過ぎた。不二夫はちょっと間をおいて、

「それは、つまり、不自然だからね。兄貴があんなところで溺れるわけはないし、摩理さんの態度も不自然だったからね」

「じゃ、摩理さんが、栄介兄さんを溺れさせたの？」

「見たわけじゃないから、よくはわからないがね。何でも、兄貴がいたずらをしたので、思わず強くふり払ったそうだよ。そしたらひじが兄貴の腹に当ったと、摩理さんはいっていたがね」

「まあ、いやあね栄介兄さんって。でも、それいつ聞いたの」

「うん、いつだったかなあ」

「どこで？」

「銀行さ」

「ふうん、また百万の定期？」

弘子は不二夫をちょっとからかうように見て、

「それにしても、栄介兄さんって、いやねえ」

「兄貴のことだからね。驚くほどのことでもないさ。しかし、おやじやおふくろには、いってはいけないよ」

「でも、栄介兄さんが自分でいうかもしれないでしょ」

「いや、いくら兄貴でも自分からはいえないだろうがね」

「そうね。女のひじ鉄で溺れたなんて、あまり名誉なことじゃないものね」

弘子は笑って、

「でも、摩理さんって、やはりこわい人ね」

「ああ、どこか正体不明でね」

「いったい、どんな人なのかしら」

「ぼくにもわからない。やり手なことだけは確かだがね」

一昨日、支店長がいっていた言葉を、不二夫は思い浮かべた。

帰りぎわに支店長と廊下ですれちがうと、支店長は不二夫の肩を叩いて、

「君い、長浜摩理くんの絵を買ったよ。あの子はなかなか楽しい子だねえ。わたしの友人にも紹介してやったがね。彼は二枚買ってね」

と機嫌がよかった。

サラリーマンが無理なく絵を買える年代は、支店長のように四十代を過ぎていなければならぬと、その時不二夫は感じた。四十代五十代の紳士たちとつきあっている摩理を想像するのは、不二夫には、愉快ではなかった。

不二夫は、支店長の言葉を弘子に告げた。

「偉いのねえ、摩理さんって」

「…………」

「わたしより、二つか三つしか年上じゃないのよ。わたしなんか、毎日受付の仕事だけで精いっぱいなのに、あの人は自分で絵を描いて、それを売っているんですものねえ。絵を売るって、大変でしょう」

「さあね。摩理さんには、大変なことでもないだろう」

　手に持ったコップの水を、透かすように見て不二夫がいった。

「どうして？　ああ、摩理さんはチャーミングだから？　でも、絵って、いくらチャーミングでも、下手なら買ってはくれないわ」

「いくらうまくても、有名でないと売れないそうだしね」

「それは、世の中ってそんなものよ。とにかく摩理さんの生活力は凄いわ。二月に東京から来たばかりなのに、もりもり描いて、食べているんだもの」

「………」

「不二夫兄さん」

「何だい」

「お兄さんは、摩理さんを嫌いなの？　それとも大好きなの」

「好きも……嫌いもないよ。ぼくとは別世界の人だ」

「ほんとう？」

「ほんとうさ。ひどく刺激的な人だけれど……あの人って、本気で生きてる人か、どうか、ちょっとぼくにはわからない」

「あら、遊んでなんかいないわよ。不二夫兄さんって、意外と冷たいことをいうのね」

　不二夫は黙って、椅子に背をもたせた。

　隣りのテーブルで、男と女の高校生が、向い合ってソフトクリームを食べている。男のほうが、ふいに大きな声でいった。

「数学なんて学問を、発明した奴をのろうよ」

　女の子はクスクスと笑って、小声で何かいった。思わず、弘子も笑ったが、不二夫は何かを考えている表情だった。

「不二夫兄さん、あの糸川みどり兄妹は、どうしてるかしら」

「ああ、山畑という男と、木久川亜紗という女の子だったね」

「とうとう興信所で調べなかったわね？」

「うん、しゃにむに調べるほどのこともないと思ったから……」

「何だか、寂しくなるわ。栄介兄さんのしていることを考えると……」

「寂しいというより、もっと厳しい問題だけれどね」

　二人は顔を見合わせた。もっと楽しい話をしたいと弘子は思った。が、今野と自分の話

にしても、栄介がまつわってくる。栄介は結婚の費用を、できるだけ少なくさせようとして、昨日も、

「電気冷蔵庫なんて、むこうさんに買ってもらえよ」

と大声で幾度もいっていた。

八月は、紀美子の初盆だが、おそらく栄介は墓参りもしないにちがいない。何か一つ考えようとしても、結局は、栄介の影が黒雲のように、自分たちの上に覆いかぶさっているようで、不二夫と顔を合わせると、つい栄介の悪口を弘子はいいたくなるのだ。

「ね、不二夫兄さん。いつもいうことだけれど、きょうだいって、ほんとうに何かしらね」

「同じ親から生まれた別々の人格さ」

「別々の人格？」

「うん。こういってもいいかもしれないよ。同じ親から生まれた他人だとね」

「まあ、他人？」

「ちょっと冷たいいいかただがね。自分とはちがう他の人、別の人という意味で、他人といってもいいだろうね」

いってから不二夫は、タバコの煙を深く吸いこんだ。不二夫のいうとおり、確かにきょうだいといっても、他人のような存在だと弘子は思った。栄介の傲岸さと不二夫の繊細さは、

水と油のように全く別のものだった。いくら一つ器にいれても、水と油は、その性格上ひとつにはなり得ない。

「本当に、三人三様ね、わが家は。とくに栄介兄さんと不二夫兄さんは、両極端の性格ね」

「弘子がいちばんまともだね」

「不二夫兄さんだってまともよ。まともすぎるのよ。でも、同じ親から、どうしてこんなに別々の人間が生まれたのかしら」

「そうだねえ」

短くなったタバコを、灰皿にそっとおしつぶしながら、不二夫はまた考える目になって、

「それだけ、人間にはたくさんの可能性があるということだろうね。おやじとおふくろのなかにないものが生まれてきたわけじゃないだろうね」

「ということは、お父さんとお母さんのなかには、栄介兄さんも、不二夫兄さんもいるということ?」

「たぶんね。うちは子供が三人だけれど、十人生まれれば、それぞれ十人十色だろうしね」

「いやねえ。こわいわ。今野さんと結婚して、今野さんに似た子が生まれればいいけれど、どんなものが人間のなかにあるか、わからないわけでしょう」

「それはそうだよ。親だって、ある時は怒り、ある時は穏やかで、ある時は放らつで、ある

時は真面目に生きてるわけだろう。上の子と下の子を生む時点で、心持にいろいろ差異があるということもあるだろう」

「でも、親に似ぬ鬼子というのもあるわね」

栄介は、父の洋吉にも、母の勝江にも似ていないように弘子には思われた。

「そうだね。突然変異は人間にもあるかもしれないね」

「ほんとうね。どんな子が自分たちに生まれてくるか、わからないのね」

「しかし、その親の子ではあるんだよ。弘子はカインって知ってるかい」

「カイン？　カインの末裔という小説があったけど……よくはわからないわ」

「カインはアダムとイブの長男さ。そして、人類最初の殺人者だよ。弟のアベルを殺したんだが、アベルはいい性格だったらしいよ」

「まあ。何だか、栄介兄さんと不二夫兄さんみたいじゃないの」

「いくら何でも……兄貴に……ぼくが殺されることはないだろうが、とにかく、人類最初の家族に、そういう兄弟がいたということは、暗示的というか、象徴的というか、ぼくには考えさせられるね」

不二夫は手をあげて、ウエートレスを呼んだ。肩のお下げ髪がゆらゆらと揺れて、可憐な少女が近づいてきた。

「コーヒーをもう一つください。弘子は」

「そうね、わたしアイスクリームをいただくわ」

丸顔のその少女は、

「かしこまりました」

と、にっこり笑ってさがっていった。弘子はふっと、あの少女はどんな親から生まれたのだろうと思った。

「でもね、お兄さん。きょうだいは他人のようなものだといっても、同じ屋根の下に、ひとつ釜のご飯を食べて育ったわけでしょう。むろん血もつながっているわけよね。いってみれば、いちばん近しい関係だということは確かでしょう」

「それはそうだよ。人情としても、いちばん愛さねばならない関係だろうね」

弘子は運ばれてきたアイスクリームを一口すくって、その長いまつ毛を少しの間伏せていたが、

「ね、お兄さん。恋人とか、夫婦というのは、少なくとも好きという感情で結ばれるでしょう？でも、きょうだいは、好きも嫌いもない、生まれた時から、きょうだいとしておかれているわけでしょう？　いつかもいったけれど」

「ああ、その点、個人の意志の圏外にあるわけだよ。きょうだいの関係は」

「人間って、同じ屋根の下に住んで育ったからといって、心と心が結びつくとはかぎらないのよね。空間的な距離の近さは、内面的な心の近さとは関わらないのね」

「だろうね。好きで一緒になった夫婦だって、ひとつ屋根の下に住んで、かえって心が離れることもあるからね」

「考えてみると、どうにも嫌いでならない栄介兄さんみたいな人と、きょうだいに生まれたってことは、大変なことなのねえ」

弘子はふと、小学校時代の級友島条由佐美のことを思った。由佐美と一つちがいのその弟は、小学校時代から盗癖があり、中学校を終えて間もなく、詐欺と恐喝で少年院にはいった。この弟は、知るかぎりの人から金を借り、姉の由佐美の友人たちからも金を借り、弘子も千円ほど寸借されたままになっていた。少年院から出た後、仲間と喧嘩をし、とうとう一人に重傷を負わせ、一人を殺し、いまは、未決にはいっているはずだった。

由佐美は気のいい、少しのんきな娘だったが、さすがに札幌にいたたまれず、事件後すぐに大阪に行ったと聞いている。

一つちがいの姉の由佐美に、弟の非行の責任があろうとは思われない。だが由佐美は、もはや知人にも友人にも顔を合わすことのできない、暗い一生を送らねばならないのだ。きょうだいは愛し合わねばならないといっても現実にこんな弟をもったとしたらどうであろう。きょうだいであるが故に、かえって憎み、のろい、責めるのではないかと、弘子はいいたかった。

兄の栄介にしても、似た存在だと弘子は思う。このあいだも栄介は、浴衣の胸を大きくはだけて、ウイスキーをのんでいた。例によって、自分一人だけのウイスキーで、父にも弟にも絶対にすすめたことはない。

のみながら栄介は弘子にいったのだ。

「おい、弘子。今野の妹ってのは、きれいなのか」

「さあね。お兄さんにはいわないほうがいいでしょ」

弘子は、今野の妹たちの愛くるしい顔を思い浮かべた。

「ふん。じゃ、今野の給料はいくらなんだ」

「さあ、手取り、五万ちょっとぐらいかしら」

「なに、五万ちょっと？　そんな安月給で、よく恥ずかしくもなく、結婚しますなんていえるもんだなあ。お前が持参金でも持ってきはしないかと、当てにしてるんじゃないのか」

栄介は軽蔑しきった語調でいった。不快な顔をしている弘子にはかまわず、

「だいたい俺は、今野のような男はきらいだよ。あいつは片親育ちだろう？　非行少年として補導されたことが、あるんじゃないのか」

と、さらに勝手なことを栄介はいった。

「片親必ずしも非行児ではありませんよ。両親揃っていたって、お兄さんみたいな妙な人間もできあがるんですからね」

負けずにいい返す弘子に、栄介は、

「何？　兄にむかって、その言葉は何だ？　もっと妹らしい口をきけないのか」

と居丈高になった。弘子は心の中で、

(妹にむかって、そんな言葉しかいえないの。もっと兄らしいことがいえないの)

とつぶやいたが、ばかばかしくなって黙ってしまった。が、思い出せば、やはり腹がたってならなかった。口をひらけば人を傷つける言葉しか吐かない栄介に、弘子は何としても一片の愛情すらもつことができないのだ。

「たしかに大変だよ。兄貴の場合、こちらの態度が悪いもいいもないんでね。いくらいい態度をとっても、何の反省もないわけだし、忠告はきくわけでもないし、じっと忍耐しているより仕方がないんだからね」

「いやだわ。いつもいつも、不愉快な思いをしなければならないなんて……。わたしたちの貴重な一生を、あんな兄のために不快な思いで暮らすなんて、わたしもうご免だわ」

不二夫は深くうなずきながら、弘子の言葉を聞いていたが、ふと吐息を洩らしておしだまった。

弘子は、柔らかくなったアイスクリームを口にいれながら、何となく結婚式までに、また栄介が何か事件を起しそうな不安を感じた。あの、どこかの女からのいやがらせの電話は、このところないが、あれはやはり栄介のいたずらではないかと、弘子はいままた思っていた。

不二夫は何を考えているのか、少し眉をよせ、悲しげなまなざしで宙を眺めていた。

「どうしたの？　不二夫兄さん」

「うん」

不二夫は弘子を見なかった。

「何を考えているのよ」

「ぼくの心の中のことだ」

ようやく不二夫は、弘子に視線を移した。

「どんなこと？　心の中のことって」

「弘子、ぼくはね……」

「なあに」

「さっき、兄貴を助けたのは、摩理さんだといっただろう？」

「ええ」

「その意味が、わかるかい？」

「………？」

「弘子、本当はね、ぼくはあの時、よほど兄貴を海の中に捨てようかと思ったんだ」

「え？　じゃ……」

「そうなんだ。ぼくは正直な話、兄貴を助けたくなかった。ぼくは小さい時から、さんざん兄貴に虐《いじ》められてきたしね。兄貴のような人間は溺死して然るべきだと思ったんだ。が、摩理さんはそれを見透していたようだよ。ぼくを急き立てて、助けたわけだよ」

「………」

「ぼくって、弘子、恐ろしい人間だよ」

「わたしなら、助けなかったと思うわ、お兄さん」

弘子はいってから、ぎょっとした。

距　離

積丹半島

積丹半島

車は小樽を過ぎ、いま蘭島《らんしま》へ出るトンネルにはいった。とたんに椅子の赤いシートが、土色に変った。トンネル内のレモン色の電灯のせいだと気づいた市次郎は、運転している治の、やや前かがみの背に目をやった。

いま三人は、積丹《しゃこたん》半島へ向うところなのだ。

紺碧の海に奇岩のそそり立つ積丹のポスターを、駅などで見てはいても、まだ一度も行ったことがないと、一か月ほど前に芳之がいった。札幌とは、目と鼻の先とはいえないまでも、片道およそ百キロ程度の、楽に日帰りの出来るコースなので、そのうちに三人で出かけようといっていたのが、今日の日になったのだ。

「しまった。小樽ですしでも食べてくるんだったなあ」

芳之がつぶやくと、治がいった。

「古平《ふるびら》海岸で、生きているウニでも食べたほうがいいですよ。まだ十一時でしょう」

「生きてるウニ？　それはいいね」

海水浴客で賑わう蘭島の浜は、赤黄青の原色で彩られている。八月も中旬に近く、いくらか人出は少ないようだが、朝からの暑さと休日のせいもあって、昼前早くも賑わっていた。が、今日の市次郎は妙に心が沈んでいる。積丹は紀美子と一日遊んだ思い出があるからだ。紀美子と来た日のように、前方に遠く積丹の岬がいくつも重なって、絵のように美しい海だった。

やがて余市に近づくにつれ、国道はやや海岸から遠ざかり、両側にぶどう園がつづいた。余市の商店街を左に折れ、駅前を左手にはいると、ウイスキー工場の異国風な古い建物が見えた。

「ほう、この工場で生まれるのか。わが愛するウイスキーは」

うれしそうに芳之は眺めた。

「スコットランドが、いわば本場でしょう？　ウイスキーの。余市はスコットランドの気候にも水にも、よく似てるそうですよ、芳之さん」

「へーえ、それは知らなかった。治君はよく知ってるね」

「そりゃあ、積丹まで、四度も五度も行ってますからね。ほら、この川が余市川。ここが鮎の北限だそうですよ」

橋の上で、少し速度をゆるめた治がいった。

「北海道で鮎がとれるとはねえ。それも知らなかった。これでは記者失格だ」

「芳之さんだって、たまには知らないこともなけりゃね」

答える治の声に、市次郎は以前にはない明るさを感じた。紀美子を失って以来、こんな感じの治を見たことがないような気がする。

治の弘子に対する気持が変ったことや、テレビ局の近くで弘子に会ったことを、市次郎は芳之からも治自身からも聞いてはいた。が、にわかには信じがたいことだった。かえって、何か治が自分の理解を超えるところに、遠く飛び去ったような感じでもあった。

海際まで、ほとんど直角に切り立った岩肌の、その裾を削って造った道なのか、あるいは汀に土石を盛り上げて造った道なのか、幾重にも屈折する海沿いの道にさしかかると、海水はいよいよ青く澄んで見える。

どのあたりであったろう。紀美子はこんな澄んだ水に、声を上げて喜んだものだった。市次郎は紀美子の声が聞えるような気がした。

短いトンネルをくぐって、治は道の脇に車をとめた。三人は車を降りた。湾曲した山に、海が入りこんだ小さな港があった。コンクリートの防波堤の傍らに、いたどりの葉が風に揺れているのが、いかにもひなびた景色だった。

山と海との間の僅かな平地には、二、三軒の家があった。そこに、昔鰊御殿《にしんごてん》と呼ばれた造りの、望楼のある大きな家が、さびれた姿を見せている。網元の家は、鰊の最盛期にヤン衆と呼ばれる季節労働者を収容した。そのためにも、この大きな構えを必要としたのだ。北海道の日本海岸の漁村には、この鰊御殿がところどころに残っているが、市次郎はこの鰊御殿を見るたびに、ひどくうら寂しい心持になる。

いまも、目の前の潮風にさらされた鰊御殿から、小さな老婆が、赤ん坊を背負って出てくるのが見えた。市次郎は、視線を海に転じた。カラスの声がしきりにしている。

気がつくと、地に臥した姿で、芳之が治と市次郎にカメラを向けていた。絶壁の岩山を背景に撮ろうとしているのだ。

鰊漁の盛んな頃は、この家にどれだけ多くの若い男女が、朝から晩まで忙しく出入りしていたことだろう。当時は、いまのような、うらさびれた日のくることを、誰一人信じなかったにちがいない。海は果しなく広く、無限の宝庫に見えたにちがいない。鰊がとれなくなるなどと、誰が想像できたであろう。

それは、妻も紀美子も生きていた頃の、自分の気持にどこか似ているような気がした。

市次郎は、妻と自分は仲よく老い、治と紀美子にはそれぞれ子供が二、三人ずつ生まれることを想像していた。そして、自分は妻子やかわいい孫たちに最期をみとられて、安らかに死んでいけると思っていた。まさか、妻や紀美子に先立たれるとは、夢にも思わなかった。残るのは、ただひとり治だけだが、ひょっとして、この治にも先に死なれることがあるかもしれない。

市次郎は、やりきれない思いがした。

「何を考えこんでいるんです？」

芳之が近づいてきた。

「いや、なに、海の水がきれいだと思ってね」

「なるほど、水のきれいな海が、本来の海の姿ですものね」

屈託なく芳之はいった。

再び車に乗った三人は、やがて湯内《ゆない》岬近くの海の中に、ローソク岩と呼ばれる丈高い岩が、すっくと立っているのを見た。ローソク岩の傍らにある低い岩や平たい岩が、あたかも建物のように見え、遠くから見ると、ローソク岩というより、工場のように見えたことを、市次郎は思い出した。

「どうなってんの？　あの岩は」

芳之が驚きを、こんな言葉で表現すると、治は、

「凄いでしょう。これは積丹三景の一つですよ。あの高さ、四十メートルあるそうです」

と、自分のもののようにいった。

「しかしさ、どうして、あんな岩ができたのかなあ。ね、叔父さん」

「まったくだね」

市次郎は、紀美子があの岩を、長い裳裾を着けた西欧の女性が立っているような感じだといっていたことを思い出した。

「積丹半島というより、奇岩半島といったほうがいいですよ。それほどいろいろな形の岩があるんですよ、ここは」

「ありがたいなあ、それは。ところでね、叔父さん。あのローソク岩を見たとたん、人々はいったいどんな驚きの第一声を放ったかですね。それを全部記録してあったら、おもしろいでしょうね。百人百様でしょうかね」

「さてね。意外と驚きの言葉というのは、非個性的かもしれないよ」

「じゃ、ウワーすばらしい、ヒャーッすごいの類ですか」

「そうかもしれないね」

「芳之さん、あのローソク岩には、伝説があるんですよ。どこかの神が積丹半島をひっさらっていこうとしたら、あの岩に太縄で、積丹半島をしっかとつなぎとめたとかいう伝説がね」

「それは傑作な伝説だ。でっかい積丹を、あのひょろ長いローソク岩に、つなぎとめたのか」

芳之は笑った。市次郎は何か笑えない気がした。人間というものは、溺れればわらにでもすがるものなのだ。そんな弱さを連想させる伝説だと思った。

いくつかトンネルを過ぎ、いっそう険しくきびしい岩山が、垂直に左手に迫っている。一枚一枚岩盤を積み重ねたような、層のある岩山が、時にむき出しに、時に草に覆われながら、どこまでもつづく。

「知床に似ているなあ。このあたりは」

芳之がうなるようにいう。たしかにこの海岸に道がなければ、知床のあのきびしい妥協を許さぬ岩盤によく似ている。ただ、知床の海のような、深く暗いエメラルドの色ではなく、明るく澄んだエメラルドなのだ。岩礁の多い遠浅の海なのだろう。

いつしか車は、美国の街から、山路に向っていた。玉石を満載したトラックが、重々と坂道を登って行くのを追い越すと、落葉樹林が両側に連なっていた。七、八頭の牛が、まひるの日の下に草を食んでいる小さな牧場や、二、三学級しかないひっそりとした小学校の前を過ぎ、高原の道を車はスピードをあげた。

(萩の多い山だ)

紀美子と来た時は、暑い夏も過ぎ、涼風の立つ八月末だったが、たしかあの時も、色のやや移った萩が咲いていた。

トウモロコシや、馬鈴薯が道の傍らの庭のような狭い畑に見えてきたと思うまもなく、車は坂を下り、再び海岸道路に出た。道に迫る岩山の下を幾曲りし、いくつかトンネルをくぐって、ようやく幾十軒かの家のある街に着いた。岬の突端には、あと八キロぐらいの地点であろうか。

治は、「磯の家旅館」と看板をかかげた旅館の前で車をとめ、

「この辺なら、生きたウニがあるはずだよ」

と、棟つづきの紺ののれんをさげた食堂を指さした。三人がのれんをくぐろうとすると、店の中からカニ族と呼ばれる大きなリュックを背負ったジーパン姿の男女が七、八人、ぞろぞろと出てきた。その中の一人の男を見て、市次郎はハッと息をのんだ。治も芳之も表情を固くした。

（栄介！）

三人は一様にそう思った。それほど栄介に似ていた。もし、その仲間が、

「おい坂田、忘れもの」

といって、その男に小さな紙包みを渡さなければ、人ちがいとは思わなかったにちがいない。

「驚いたなあ、そっくりでしたね、叔父さん」

名古屋のナンバーのついたスポーツカー二台に分乗して、神威《かむい》岬のほうに立ち去る一行を見送ってから、ようやく三人は店にはいった。

「せっかく、こんな景色のいいところに来たのに、いやな奴を思い出しちゃった」

出されたコップの水を一口飲んで、治は憂鬱そうな顔をした。
十七、八の目のパッチリした女の子が、三人の注文を待っていた。
「生きているウニはある？」

「かあさん、生きているウニだと……」

「すみません。生きているウニは、いまありませんけど……」

カウンターの向うで、四十過ぎの女が気の毒そうにいった。この女性も、色白の目鼻だちのはっきりした女だった。この海岸には新潟人が多く、美人の多いところだと聞いていたが、そうかもしれないと市次郎は思った。

「でも、ちょっと待ってくださいよ。いま、電話してみますから」

おかみだろうか、その女は早速店と旅館をつなぐ廊下の電話器の傍らにかけよって、

「あ、いる？　あんねえ、お客さんが生きてるウニを食べたいって、いってられるから、小父さんにしゃべってみてけれ。……ああ、そう……じゃ、待ってってからってね」

浜言葉のなまりのある、明るい大きな声で電話をかけていたが、

「お客さん、いま、裏の海でウニとってあげるって、ちょっとお待ちになってください。すぐとってきてくれますから」

と愛想よくいった。その親切な応対に、市次郎は、いましがた会った栄介に似た青年のことが、あまり気にならなくなった。

すぐ近所に住む漁師なのだろう。ランニングシャツに半ズボンをはき、大きなビクを持って現れた。

「座敷さ上って、見ててください」

と通され二十畳ばかりの広間の中央には、テーブルが四つ並んでいて、青い海が窓のすぐ下から広がっていた。

三人は、さわやかな汐風のはいる低い窓に寄って海べを見た。パンツ一つになった男が、水中めがねをかけ、海にはいって行くところだった。男は五、六歩海の中にはいると、泳ぎだし、すぐに水面を蹴って水にもぐった。二本の足がにょっきりと水の上に浮かび、少したってひょいと顔をあげた。そして再び、海の中にまったく姿を消した。もしや窒息したのではないかと思った時、男は浮かびあがってきた。

そんなことを、男は幾度もくり返した。市次郎は見ていて、自分が何か横暴な君主になったようで、ひどく申しわけない気がした。

熟練した漁師には、水中深くもぐることも、逆立ちすることも、さして辛いことではないかもしれない。しかし、決してたやすいことではないはずだ。

「もうあがってください。いいですよ」

と声をかけたが、

「耳に栓をしているから、聞えないですよ」

と治に笑われた。

「これぞ、文字どおりのご馳走だなあ」

しばらくしてあがってきた男は、窓から店の女にビクを渡した。ビクをホーロー引のボールの上に逆さにすると、長い針を持った紫ウニや針の短い栗のようなウニが十五、六個もはいっていた。

塩水で洗ったウニを、女の子が包丁で二つに割っても、ウニは針を動かしている。びっしりと身のつまったオレンジ色のウニを、耳かきのような赤銅の細いスプーンで、三人は早速すくって食べた。

「うまい!」

大きな声で芳之が叫ぶと女の子は声をあげて笑った。

「何という味だろうね、これは」

「ウニの常食はコンブだそうですから、うまいはずですよ」

「なるほど、それはうまいわけだね」

　運ばれてきたあたたかい飯の上に、ウニを並べ、醤油をちょっとかけ、芳之も治も、ものもいわずに一杯めを平らげた。二杯めを半分まで食べて、治がいった。

「さっきの奴、赤の他人だろうか」

「よく似た人間もいるものだね」

「何となく横柄な態度まで、似ていましたよ」

　市次郎は黙って、日の反射する海に目を向けた。沖に墨で一の字を書いたような、黒い船の姿が見えた。岸を打つ波の音が、鈍くひびいている。治は海を見ている市次郎の横顔に目をやって、

「お父さんは、似ていると思いませんでしたか」

「うん、まあね。うまいウニだよ、たしかに」

「ウニの話じゃありませんよ」

「景色はいい、ウニはうまい。それだけで、いいじゃないか」

　そばで芳之が、テーブルの上にあった案内書を開いて、

「なに？　火山の裾が直接海に落ちこみ、波に洗われてできた集塊岩質の崖？　なるほどね

え。まだまだ奇岩がたくさんあるだろう。満腹したところで、出かけようか」

濃くはいった味のいいお茶を飲んで、金を払おうとすると、

「三百円です」

とおかみがいった。一人前が三百円かと思ったら、全部で三百円だという。

「冗談じゃない。海にまでもぐらせて、一人三百円でも安すぎますよ」

「いや、みそ汁とご飯だけで、ウニはサービスしますから……」

という。

こんな純朴な人間が、現代にまだ生きていたのかと、市次郎は感動した。

結局は千円札をむりやり置いて店を出たが、札幌なら、ウニだけでも一人まえ千円はするのではないかと思った。

「立派だなあ。あんなにガメつさがないなんて」

「サワヤカ、サワヤカ」

車に乗ってから、芳之と治はこんな会話を交した。

窓の外の濃紺の海は、やや波のうねりが大きくなっていた。が、岩々は厳然と立ちはだかっている。陸を守る巨人のように、男性的な姿だ。ある岩は低く、ある岩は肩をいからし、ある岩はすっくと立っている。

道は相変らず、一瞬も油断のできぬ道である。至る所にトンネルが口をあけている。紀美子がバスの中で、傍らの自分の腕に、幾度かとりすがった道なのだ。

埃をあげながら、幾台もの車が追い越して行く。途中に大破した横浜ナンバーの乗用車が横転していた。

「美しくもきびしい所ですね、叔父さん」

芳之がまた感嘆していった。

「ああ、自然のきびしさは、いささかも甘さがないね」

そして、孤独だといおうとして、市次郎はやめた。

「その点、人間は甘いな」

運転をつづける治が、嘲笑するような語調でいった。父親の自分を甘いと嘲っているのだと、市次郎は思ったが、論争する気にはならなかった。

紀美子の初盆も間近なのだ。この美しい景色を見ながら、紀美子を思う供養のしかたもあっていいと、市次郎は沖に目を転じた。

スナックバー〈とき〉は、歓楽街薄野のはずれにある小さなビルの一階にあった。ビルの一階といっても、おでん屋、すし屋、焼き鳥屋などがずらりと並ぶ小路のようなつくりで、表通りと裏通りをつなぐ通路にもなっていた。〈とき〉の青いネオンには、まだ電灯がついてはいない。その〈とき〉の前に、いま西井治は立った。自動ドアがスーッと開いて、中から、

「いらっしゃい、早いわね」

と親しみのこもった声で、ダークグリーンのドレスを着た三十過ぎの女が、治を迎えた。マダムの時子である。まだ五時半である。マミという若いホステスも、客たちも六時半を過ぎなければこない。それを知っている治は、時折この時間に出かけてくる。

「けっこう暑いねえ」

持っていたグレーの背広を帽子掛にかけて、治は半袖の開襟シャツのボタンを一つはずした。

「本当にね。どうぞ、冷たいわよ」

姉のような口調で、時子がおしぼりを治の前においた。

時子は、治と同じ生命保険会社に、勧誘員として、以前に六年ほどつとめていた。結婚して二年めに夫に女ができて別れたとかで、勧誘員になったという話だった。きかん気の気性で、勧誘の成績はかなりよかったが、六年間に貯めた金をもとに、銀行から金を借りて、ここに店を開いて三年は過ぎた。

場所は薄野のはずれとはいえ、持前のきかん気な性格をおもしろがってくる常連もあっ

て、客が六、七人もはいればいっぱいになる店でも、結構売上げはよいようであった。

「はい、おみやげ」

ポケットにつっこんできた粒ウニの小箱を治はカウンターにおいた。

「あら、うれしいわ。粒ウニじゃないの。どこのおみやげ?」

「積丹さ」

「まあ、積丹にいらしたの。これ、おいしいのよ。ありがとう。でも、お値段がいいでしょう? 気の毒ね、何だか」

「なに、高くはないよ。いろいろ無理いったり、愚痴をきいてもらってるんだから……」

治はちょっと、バツの悪そうな顔をして、カウンターによりかかった。

「はい、水割りね」

ずらりと並んだ常連のウイスキーの中に、治の名のはいったウイスキーもある。

枝豆とチーズを、四角のガラスの皿にいれながら、

「やっぱり彼女は九月に結婚するの」

「らしいね」

グラスの中を見つめて、治はいった。

「やっぱりねえ。あんな電話ぐらいでこわれる仲なら、こわしたってかまわないって思って

たけど……。でも、何だか後味が悪かったわ。映画でいうと、わたしは悪役というわけでしょう」

「そんなことはないよ。正義の味方、黄金バットさ」

「そりゃあね。西井さんの話を聞いていたら、その栄介とかいう男が憎らしくて、ついあなたに同情してしまうけれどさ」

　時子はカウンターから出て、治の傍のとまり木にすわった。治は黙って、水割りを飲んだ。その治を、時子は流し目で眺めながら、

「積丹にいついらしたの」

「日曜日だよ」

「わたしも行きたかった」

「誘ったって、行かないくせに。おやじと従兄と、野郎ばかりで行ってきたんだ」

「あら、西井先生も?」

「なあんだ。久住さん、おやじを知ってたの?」

　他の客は、時子をママさんとか、マダムとか呼ぶ。だが、治は会社にいたくせで、時子の姓を呼んでしまうことがある。

「先週、ここのお客さんとご一緒にいらして、はじめてお目にかかったわ」

「じゃ、おやじに、ぼくがここにくるって、いったの」

「そりゃあいったわよ。啓北大の西井教授だよって紹介されたから、あ、この人がお父さんかと思ってね」

「本当かい」

「本当よ。なかなかすてきな人じゃない？　上品で、もの静かで」

「電話のことは、いくら何でも……」

みなまでいわせず、

「バカねえ。そんなことまでペラペラおしゃべりして、客商売がつとまると思うの？　わたしはその点プロよ。プロ意識のかたまりみたいなのよ」

時子はちょっと怒ってみせた。

「いや、それはよくわかっているけれどね、ただ何となく……」

治は浮かぬ顔をした。

「わかってたら、それでいいじゃないの。安心なさいよ。わたしだって、ばかじゃありませんからね。あなたの息子さんにたのまれて、いやがらせの電話をかけましたなんて、いえるわけないじゃないの」

「それも、そうだね」

「そうよ、軽蔑されるか、呆れられるか、叱られるかよ」

いわれるとおりだと、治はようやく安心したが、父がこのバーに現われたことは、やはり気持のいいことではなかった。

積丹の神威岬を歩いた時のことを、治は思い浮かべた。神威岬には車ははいらない。断崖絶壁の下を三十分以上も歩いたろうか。その切り立つ絶壁の下は、漬物石のような大きな石ばかりの石原であったり、足もとを波の洗う細い道であったりして、平坦な道は一つもない。まかりまちがうと、足を捻挫しそうな道ばかりだった。

途中には、一寸先もわからぬ真暗なトンネルもあって、おもしろいといえばおもしろい。スリルのある道だったが、凸凹の大きな岩の上を通る時、治たちは妙なものが、山ぎわに落ちているのを見た。

いや、妙なものではなかったかもしれない。それは、一目で女物とわかる花模様の、キルティングをした合羽だった。暑いので、たったいま誰かがそこに置いて行ったのかと思われるほど、真新しい合羽だった。が、置いて行ったにしては、乱雑だった。置いたというより、やはり打ち捨てられたといったほうがふさわしく、たたんではいなかった。そのうえ、それから何歩も行かぬ石原の小さな水たまりに、パンティーストッキングが、くしゃくしゃに脱ぎ捨てられてあった。

「これは、何かがあったという感じだったなあ。どうも……」

先頭を歩いている芳之が苦笑し、

「近頃の若い人たちは、行儀がわるいね」

市次郎は眉をひそめた。が、治は、その辺の草むらを探せば、まだなまなましい女の死体があるように、ひどく無気味な感じがした。

事実はそんななまぐさいものではなく、ここで破れたかどうかして、脱ぎ捨てたパンティーストッキングかもしれないし、持っているのが面倒で捨てた合羽かもしれないのだが、治はひどく無残な気がした。

それはやはり、心の中に紀美子のことがあるせいかもしれなかった。紀美子がもてあそばれ、ついには子供を宿して捨てられ、自殺したという事実が、一足のパンティーストッキングにも、陰惨な想像をさせたのかもしれない。

「何を考えてるのよ」

時子にひじをつつかれて、

「君、積丹に行ったことがある？」

治は笑顔をみせた。

「あるわよ」

ニヤニヤと、時子は笑った。

「どうしたの？　意味深長な笑いだね」

「……だって、あのまっくらなトンネルの中で……」

「トンネルの中で？　どうかしたの」

「野暮ねえ、西井さんって。おおよそ察しがつくはずじゃないの」

時子はなおも思い出し笑いをしながら、治の背を軽く打った。

治はああそうかと、やっと気づいて苦笑しながら、

「いいなあ、ママさんは」

「何よ、また浮かない顔をして。男の浮かない顔っていうのは、ある種の女性にはいちばん気にかかるものなのよ」

「ある種の女性かい、ママさんも」

「当りまえじゃないの。こんな商売をやろうという女は、浮かない顔の男のために、生きてるようなものなのよ。わたしが何とかしてあげなくっちゃと思っちゃってね」

「本当かなあ」

「本当よ。男のうさの捨てどころが、自分であってほしいと思っているお人好しなのよ。さあ、何でもおっしゃい。また、電話かけろっていうの？」

治は頭を横に振って、中指の爪でカウンターを弾いていたが、促されて思いきったように時子を見た。

「ぼくはね、ママさん。何としても、あの男に、ぼくの苦しみを味わわせてやりたいんだが、どんなものだろう」

「わかるわ、その気持」

時子はつけまつ毛にそっと指をふれた。

「だからさ、あいつの妹が幸せに結婚するのは、何としてもいやなんだ」

「それでどうするのよ」

「こんなことを考えたんだけどね。ママさん、誰か大胆な女の子を知らない？」

「近頃の子は、みんな大胆よ。その大胆な子に何をたのむの？」

「こんなことはどうだろう。あいつの妹が結婚式で、いよいよ家を出るという時、その大胆な女の子が、赤ん坊をおぶって、車の前に立ちはだかるんだよ。どうしても今野と結婚するのなら、このわたしと赤ん坊をひきころして行ってくれってね」

「まあ！　西井さんったら、そんなことまで考えてるの。でも……そんなことをしたって、だめよ。気ちがいだと思って、さっさと式場に行ってしまうわよ」

「そうかなあ。しかし、めでたい結婚式を不愉快にさせることは、できるだろうと思ってね」

　片肘をついて、時子はまじまじと治の顔を見てからいった。

「ねえ西井さん。あなたの憎いのは真木栄介とかいう男でしょう？」

「きくまでもないよ」

「じゃ、どうして、その憎い男に直接復讐しようとしないのよ。その男が、社会的に二度と立ちあがれないようにすることでも考えたほうが、いいじゃないの。何も、罪もないその妹の結婚の妨害などしないでさ」

「なるほど。ママさんのいうこともわかるよ。しかしね、ママさんはぼくの気持をまだわかってくれてはいないなあ」

「そうかしら？　ずい分とわかってあげているつもりだけれど」

「ね、久住さん。ぼくが辛いのは、かわいい妹があの男に玩具にされて、死んでしまったことなんだ。だから、できたらぼくは、あの男に、ぼくと同じ苦しみを味わわせてやりたいんだ」

　治の顔が、少しみにくくゆがんだ。

「まあ、それじゃ西井さんは、その男の妹さんを妊娠させて、自殺させてやりたいとでもいうの」

「そう。それができたらなあ。そしたらあの男も、ぼくの口惜しさがわかると思うんだ。目には目ですよ」

「目には目ねえ。でも、あなたは、あの弘子という子と、いちおう和解したといったでしょ?」

「いや、方法を変えただけさ。彼女に近づくには、いままでのやりかたじゃ拙いと思ってね。そのうちに、きっと彼女はぼくの家に、一人で手伝いにくるようになる。そう思ってね」

「まあ、それを狙ってるの。あきれたわ。本当にやる気?」

「ぼくは執念深いからね」

　空になった治のグラスを持って、時子はカウンターの中にはいって、棚からウイスキーの瓶をおろした。背を大きくくったダークグリーンのドレスから、むっちりとした小麦色の肌がのぞいている。大きなほくろが一つ、その背にあった。水割りをつくっている時子の背に目をやりながら、治は弘子を思い浮かべていた。

「執念ぶかいのも、時には結構だけれどさ。だけどねえ……」

　時子はグラスを再び治の前に置き、カウンターの向うに立ったままで、

「だけど、西井さんって、ばかねえ」

「ばかでいいんですよ」

「怒るんじゃないの。ね、西井さん。あなたは、栄介とかいう男と、同じ性格じゃないのよ」

「それは当りまえですよ」

　怒ったように治はいった。

「その当りまえが、全然わかっちゃいないじゃないの。西井さんはね、そりゃ妹思いかもしれないわ。凄い妹思いだわ。でもね、栄介という男は、おそらくあなたほど妹思いではないと思うわ」

「………」

「ほんとうに自分の妹をかわいがる人間なら、女たらしなんかじゃないはずよ。真木栄介という男は、たとえ妹が死んでも、どれほどのショックも受けないとわたしは思うわ」

「そうかなあ」

「そうよ。そして、妹思いのやさしいあなたには、弘子という女性に妊娠させるまではできても、捨てるなんて芸当もできないと思うの。ついに惚れこんじゃうと思うのよ」

「………」

「ね、はっきりおっしゃいよ。あなたは本当は、彼女に相当惹かれているんじゃないの」

時子は、真正面から治の目をのぞきこむように見た。

「そんなことはない」

「わからないわよ、人間の心なんて。自分でもわからないことがあるものよ」

「………」

「とにかくさ、あなたが、その男に復讐をしたいのなら、その当人になさいよ。妹のほうに何をやってみても、冷血漢にはたいしてこたえることじゃないわ」

「そうかなあ。ぼくは、目には目をが、いちばんいいと思ったんだがなあ。妹を失った悲しみを、奴にも知らせてやりたいと……」

「だめだめ！　そのへんがあなたの計算ちがいよ。敵を知らなすぎるわ。第一あなたは、復讐なんかできる人間じゃないわ。それに、弘子という子が、かわいそうよ。兄のとばっちりを受けてさ。わたし、あなたに同情して、いたずら電話を何度かかけたけれど、よさそうなお嬢さんらしいじゃないの。どうにも後味がわるくて、しようがなかったわ」

「それは……すまなかったね」

一息にぐっとウイスキーをあおると、

「じゃ、ママさんがぼくの立場なら、どうする？」

「そうねえ。あらたまってそういわれると、どうしていいかわからないけれど、少なくとも妹に電話するより、男の会社にでも、電話しただろうと思うわ」

「何というの」

「そうねえ。関係した女を捨てたなんていうこと、身に憶えのある人間が多い時代ですからね。誰も格別悪いことだなんて、思いはしないし……」

「しかし、あいつは別だよ。妊娠したから結婚してくれなんて、まるでおどしじゃないかなんていう奴だからね」

「ええ、いろいろ聞いて、わたしも腹が立ったから、あなたに同情してるわけだけれど……。いざどうして仕返しするかとなると、これまたむずかしいわねえ」

「男を社会的に失脚させるというのも、かなり巧妙な計画のもとに、わなにかからせないと大変だし……。社内の事情がわからずに電話をかけてみても、どうにもならないし……」

「所詮、西井治などは、悪党にはなれないということよね」

「ぼくは悪党じゃないよ。妹の復讐をしようと思っているだけだからね。死んだ妹の復讐をするって、悪いことじゃないだろう」

「さあ、わからないわ。何がいいことか、悪いことか、わたしなどにはわからないわ」

「どうして？　非業の死をとげた妹に代って、復讐するって、いいことじゃないのかい。久住さん」

「ね、西井さん。わたしみたいな商売をしていたら、いろいろなことを見たり聞いたりしすぎてね。テレビの見すぎという言葉がはやったけれど、わたしの場合、人間の見すぎよ。本当に何がいいか、悪いか、判断に迷うわよ。わたしだって、人に復讐されかねないことをしてるしねえ」

治は黙って、ほつほつと豆を食べた。

「ねえ、西井さん。あなた確実にいいことは、いま結婚することよ。どこかの朗らかなお嬢さんと」

「…………」

「ね、わたしだって復讐したいことがあるわよ。別れた亭主にね。人間って、みんな復讐したいものを持って生きてるんじゃないの。あいつに天罰でもあたらないかなどと、はかない望みを持ったりして。そんなものなのよ、人生って……」

時子は小指でほつれ毛をかきあげた。

積丹半島

盆提灯

盆提灯

ひるすぎの家の中には、洋吉一人だった。栄介も不二夫も弘子も勤めに出ているし、勝江はデパートへ出かけて行った。

洋吉は浴衣がけのまま、ソファに横になってテレビを見ていた。テラスのカーテンをなびかせてはいってくる風が、少し肌寒い。洋吉は立って行ってガラス戸を閉め、再びソファに横になった。

テレビでは、小、中学校の教師たちが四人で、座談会をしている。頭髪をぺったりと分けた四十年輩の男と、額に垂れた油気のない髪を時どきかきあげながら話している三十代の教師、長髪とまではいかないが、かなり髪を長く伸ばした二十代と、髪ひとつをみても三人三様の年代と性格が感じられる。あとの一人は、細おもての、いかにも利発といった感じの女教師である。

『現代の教育はこれでいいのか』という題に惹かれてチャンネルを回したが、すでに座談会は始まっていた。

「……というわけで、いくら個々の教師が立派であっても、バラバラであってはいけないと思うんですよ。教師集団の人間関係を、もっともっと重要視すべきだと思うんですが……」

四十代の男の発言だった。二十代の教師が少し皮肉な微笑を浮かべていった。

「まったくそのとおりだと思いますよ。ただ、その場合の内容が問題なんですよね。わたしたち若い教師として、いかにいい意見でも気にいらぬ人間の意見はとりあげないという動き……まあ一部の動きなんですが、これには大いに問題を感じるわけです。こういう動きが、教育界を毒しているんじゃないでしょうか」

テラスの風鈴の音が、ガラス越しに聞えている。洋吉はふと、勝江にワインを注文させればよかったと思った。出がけに、何か用事はないかと聞かれたが、うっかり、ないと答えてしまった。

(そうだ。ワインを頼むのを忘れた)

日本酒やウイスキーを、ワインに切りかえたほうが健康にいいと、このあいだ同期の友人にすすめられたのだった。

そんなことを考えながら、目はテレビに注がれている。話題は次に移っている。

「このような情報過多時代ですからね。情報の精選という問題は当然あるわけです」

三十代の教師のあとを受け、女教師がいった。

「そうですね。価値ある情報は何かという選択眼を養うということは、非常に大切なことでしょうね。しかし、ここで価値観をどうするのか、どこにおくかということね。これがまたたいへんな問題ですわね。親にしても、教師にしても、何が真に価値あることか、意外に知ってはないいんじゃないかしら」

明晰な口調で語る女教師の口もとが、養護教諭の赤田典子にちょっと似ていると思った。

価値観で二、三話し合いがつづいた後、話は幼児教育の問題がとりあげられた。

「……学校教育が先か、家庭教育が先か、鶏と卵みたいですし、ちょっと教師の側からは微妙なんですけど、でも、現代教育の中でもっとも急がなければならないのは、やはり三歳児の教育でしょうね」

女教師の言葉に、四十代が大きくうなずき、

「総合的に考えるべき問題ですね。単に教育の責任を家庭に転嫁させるということじゃないわけですから」

「ええ、そうなんです」

「三つ子の魂百までという言葉ですね、あれはわたしも真理だと思いますよ。これが日本では意外と忘れられている。三歳までで人間をつくるということ、これは決して過言じゃない」

「とすると、わたしなど三歳でつくられちゃってるわけですね。あと、どうすればいいのかな」

若い教師の言葉に、みんなが笑った。

「いや、性格形成としては、三歳までの影響はじつに大きいようですよ。たとえば、三輪車を親にねだって買ってもらうとすると、ねだれば買ってもらえるという体験をするわけです。初体験……ちょっと語感が悪いですが、この初体験が強烈に脳に記憶されてしまうと、いわれています。

これがもしですね、三輪車がほしいといっても、親の判断で、道がせまいし、遊び場もない。危険だからほしくてもがまんしなさいというとします。これもその子にとっては初体験ですが、この場合は精神の訓練になる体験となるわけですよ」

「しかし、親の感情で与えたり、与えなかったりということもあるんじゃないですか。それに、我慢させる我慢させるといって、子供を抑圧してしまうことは、どうなんですか」

「そうですね。わたくしも母親として、そのへんの加減にいつも苦心するんですけれど、具体的なケースはともかくとして、根本的に幼児教育を正しくできる母親ね、これを目ざしたいんです。そして、そういう母親をつくりあげる教育が、考えられなければならないということね。話がはじめに戻ってしまうんですけれど……」

教育者の洋吉にとって、別段耳新しいことではない。が、三歳児教育の問題が身に沁みた。

聞いていて、しきりに栄介の幼い頃が思い出された。とくに三輪車が偶然引き合いに出されたことに、洋吉は痛みを感じた。三輪車については、いまも昨日のことのようにありありと浮かぶ思い出があるのだ。

「ぼくにも買って」

近所の子の新しい三輪車を見て、栄介は駄々をこねた。最初のうちは、洋吉も勝江も知らぬふりをしていた。駄々をこねても、父母がとりあわぬのを見ると、栄介はふっと泣きやんで、外へ出て行った。

そして、近所の子の、その新品の三輪車をむりやりうばって持ってきた。その子の母親は早速取り返しに来、苦情をいって帰って行った。ところが翌日、その子の三輪車は、どぶの中に打ち捨てられてあった。栄介の仕業であった。

「子供らしくもない。末恐ろしいわね、お宅の栄ちゃんは」

その子の母親は怒っていったが、洋吉は当時、栄介が子供らしくないとも、末恐ろしいとも思わなかった。

親として、さすがに幼い栄介があわれに思われた。近所にあまり迷惑をかけてもならぬと、三輪車を買ってやったことだったが、いま洋吉は、そのことを複雑な感情で思い起していた。

「末恐ろしい」

といわれた時点において、何も気づかなかった。それはまさしく親の不明であり、親馬鹿の故であったかもしれない。いまにして思えば、なるほど三つ子の魂百までのたとえのとおり、栄介は幼い時から、親を脅す術を、すでに知っていたともいえるのだ。といって、友だちの三輪車をうばったり、どぶに捨てたりされては、親として買い与えるより仕方がないのではないかとも思う。

(いったい、誰に似たのか)

苦々しく、洋吉は心の中でつぶやいた。自分には断じて似ていない。さりとて勝江に似ているともいいかねる。勝江は情緒の欠落した性格を、栄介は確かに受けついではいる。が、勝江にはない粗暴さが栄介にはあるのだ。

洋吉の父母にも、勝江の父母にも、粗暴な人間はいないはずだ。勝江の父は早くに死んでいて、洋吉は会ったことはない。しかし、勝江から聞いているその父は、寛容な男らしい性格であったようだ。母親は情の深い優しい人である。勝江はどうやら、親に似ぬ鬼子のようでもある。そしてさらに栄介のような鬼子を生んだことになるのか。そう思った時、玄関のブザーが鳴った。

洗濯屋か郵便配達だろうと思いながら、洋吉は浴衣の胸をかきあわせながら玄関に出て行った。

　ドアを開けると、白いワンピースを着た摩理が小さな包みを持って立っていた。

「おやおや、あなたでしたか」

「そうよ。小父さまおひとりでしょ？　プラムのいいのがあったから、小父さまにと思って」

「それはありがたい。ちょうど口寂しく思っていたところでしたよ。おあがりなさい」

　機嫌よく、洋吉は摩理を招じいれた。

「お邪魔でなければ……」

「邪魔どころですか。人間ひとりでいるのは、つまりませんな」

「そうでしょうか。たまにおひとりも楽しいでしょう？」

　摩理は持ってきたプラムを洗って、皿にいれて持ってきた。

「勝手知ったる他人の家ね、まったく」

「やあ、どうも」

　早速一つ口にいれて、洋吉は、

「これは美味！」

　といった。

「ビミ？」

「そうです。うまいでも、おいしいでもない。美味！　という味ですよ」

「やっぱりねえ」

と摩理は笑った。

「何がやっぱりです?」

「いいえね、やっぱり親子だなあと思って。このあいだ、栄介さんが、同じことをおっしゃってたわ。うん、これは美味! うまいでも、おいしいでもピタリじゃないんだとかいって
……」

ふっと、洋吉はいやな気がした。自分には栄介が、いささかも似ていてほしくないと思ったのだ。洋吉はさりげなく、話題をもどして、

「しかし、摩理さんはえらいですね。よくひとり暮らしをしていて、寂しくないものですなあ」

「ひとりのほうが気楽よ。人と暮らしているほうが寂しいかもしれないことよ」

「なるほど。それも真理かもしれませんなあ」

見るまに、汁のしたたるプラムを五つ、洋吉は平らげた。

「ああ、おいしかった。ごちそうさん。よく冷えていて」

「美味?」

摩理の言葉に、洋吉はあいまいに笑った。

「小父さま。いまね、わたしテレビを見ていたら、三歳児の教育のことを話していたわ」

「ああ、わたしも、さっきまで見ていたところですよ」

「あら、小父さまも。あれを見ていて、わたし、どなたの三歳の頃を想像したと思って?」

栄介のことだろうと思いながら、洋吉は首を傾けた。

「不二夫さんの三歳の頃のことよ。不二夫さんの小さい時の話を、伺いたいと思ったのよ、わたし」

「さてね。不二夫の小さい頃のことは、あまりわたしは憶えていませんよ。栄介とちがって、あれはあまり問題を起しませんでしたからね」

「あら、憶えていらっしゃらないの。つまんない」

がっかりしたように、摩理はいった。

「不二夫なんかに、興味がありますかねえ」

そ知らぬ顔でさぐりをいれると、

「大ありですとも」

摩理ははっきり答えた。こんなにはっきり答えるようでは、恋愛感情を持ってはいないと、洋吉は少しがっかりした。

「あのあと、栄介はお邪魔していますか」

「いいえ、わたしちょっと旅行に出ていましたから」

「どちらへ?」

「日高ですの。馬のいる風景を見たいと思って」

「日高は、ちょっとされざれとした寂しさがあるでしょう」

「ええ、とても惹かれました」

　旅行中、摩理はあのダイヤモンドは、指にはめていたのだろうか。まさか、あの画室の小ダンスにいれたままではなかろうと、洋吉は気になった。摩理がダイヤの指輪を小ダンスにしまうのを、栄介がギラギラ光る目で眺めていたのが、気になっているからだ。いま、摩理の指には、何もはめられていなかった。

「東京に帰りたいとは思いませんかね」

「ちっとも!　二月に来たばかりですもの。北海道は画題の宝庫よ。描きたいところがたくさんありますわ」

「なるほど。あなたは絵を描く人だからなあ。ただの娘さんじゃないわけだ」

「あら、絵など描いたって、ただの娘ですよ。女ごころには変りはなくってよ」

「じゃ、札幌にきて、好きな人でもできましたか」

「できましたわ。でも、たぶん片想いよ」

「まさか!　摩理さんに片想いさせる男なんて、いるわけはありませんよ」

摩理はテラスのガラス越しに庭を眺めていたが、

「片想いのことは、仕方ないんですけれど……。小父さまね、山畑君ってご存じでしょう？」

ふいに摩理の口から山畑の名が出たので、洋吉はギクリとした。

「ああ、いつかあなたが追い払ってくださった……。あの男が、どうかしましたか」

「警察にあげられたらしいわ」

「警察へ？」

「ええ、恐喝らしいの。新聞沙汰にならないようにって、わたしの知っている記者のところに、親が頼みにきたんですって」

「あの男なら、いずれはそんなことになるだろうと思っていたがね。とうとうやりましたか」

山畑なら警察にあげられても、何の不思議もないと、洋吉は思った。その洋吉の表情を見て摩理がいった。

「小父さま。山畑君と栄介さんは仲がよろしいそうよ。新聞記者のところに、栄介さんの名まえもいっているらしいわ」

「何？　栄介の名まえも？　いったいどんなことをいったんですかね」

洋吉の顔色が変った。山畑の検挙がにわかにひとごとではなくなったのだ。

「さあ、わたし、詳しくは聞きませんけれど……」

「その新聞記者は、何というんです?」

「小父さまもご存じのはずよ。北海新聞の志村芳之さんっておっしゃるの」

「シムラ?」

「ええ、西井さんの……」

「ああ、西井さんのあの……。そうですか。それはまずい。それはまずいなあ」

洋吉はうろうろと落ちつきなく立ちあがった。その洋吉を、摩理は気の毒そうに見ていたが、まもなく帰って行った。

(いったいどんな恐喝なのだ?)

もしや、その背後でまた栄介が糸をひいているのではあるまいか。洋吉の不安はたちまちひろがった。しかも、志村芳之に記事差しとめの願いを、山畑の家ではもっていったという。

山畑の家と志村とは、どんな知り合いなのか。志村は確か学芸部の記者のはずだが、栄介の名を聞いて、かえって大きく記事に出させるかもしれない。

洋吉は、どこに電話をかけるという当てもなく、電話のそばに行った。途端に電話のベルが鳴った。それがひどくけたたましく洋吉の耳に響いた。

(誰だろう)

警察ではあるまいかと思って、かたくなって受話器をとった。

「真木でございますが」

受話器を耳に当てたまま洋吉はぺこりと頭をさげた。

「ああ、わたしよ」

勝江の声にほっとして、

「何だ、おまえか」

と洋吉はちょっと不機嫌な声を出した。

「美容室が混んで、少し遅くなりますからね、すみませんけれど、五時になったら炊飯器のスイッチをいれてくださいませんか」

「おそくなるのかね。早く帰ってほしいんだが」

「何かご用ですか」

「いや、用ではないが、用がある」

「何をいっているんです？　用がなければ、ちょっと遅くなりますよ」

「いや、用がある」

洋吉がいいかけた時、受話器をガチャンと置く音がした。

（自分から先に受話器をおく奴があるか）

心の中でつぶやきながら時計を見た。まだ三時前だ。

(美容室というのは、時間のかかるものだ)

ソファに腰をおろした時、再び電話のベルが鳴った。

勝江が何かいい忘れて、また電話してきたのかと思いながら、洋吉はゆっくりと腰をあげ、ワインを頼むことを思い出した。

受話器をとると、思いがけず栄介の声がした。

「何だ、おやじさんか。おふくろは？」

「お母さんは街に出かけたよ。何か用事かね」

「うん、まあ、用事といえば用事ですが……」

何かいいよどむ声に、洋吉はまたしても不安が高まった。

「用事ならいいなさい。お母さんに伝えておくよ」

洋吉は受話器に全神経を集中した。

「いや、今日は帰りが遅くなるから、夕食はいらないっていうことだけですよ」

「何だ、それだけかね」

「それだけですよ」

始終、無断で遅く帰る栄介が、そんなことでわざわざ電話をかけてくるとは思えない。

「珍しいね、遅くなるなどという電話は」

あいまいに笑っているらしい気配に、

「栄介、おまえ、山畑という男を知っているだろう」

「山畑？　ああ、あの男がどうかしましたか」

「警察に挙げられたそうじゃないか」

「……誰から聞いたんです？　それを」

「知っていたのか」

「知りゃしませんよ。そんなこと」

「そうか、知らないのか。あの男はお前の名を出しているらしいが、何か関係があるのか」

「ありませんよ、ばかばかしい」

「しかし、おまえは……」

山畑を手先にして、父親の自分から金を脅し取ろうとしたではないかと、口先まで出かかってやめた。この言葉を出すのは、よほど慎重でなければならなかった。

「誰から聞いたんです？　早耳だな」

そばに誰かいるのか、低い女の声が聞えた。

「誰からでもいい、早く帰りなさい」

「十二時前には帰りますよ」

栄介の受話器をおく音が、いやに大きく響いた。

(どいつもこいつも、電話の作法も知らない)

洋吉は鼻をこすった。妻も息子も、自分より先に電話を切るのが癇にさわった。家庭の中にある父親としての存在が、妻にも息子にも重視されていないことを、ありありと知らされたようで腹だたしかった。もっと自分は尊敬されていいと、洋吉は思う。社会的にも、いやしくも中学校長という地位にあり、柔和で真面目な生活を送っているではないか。世間では人格者だという評判もあるのだ。

(まったく困った奴だ)

栄介は山畑の件を、知っているようでもあり、知らないようでもある。あいまいな栄介の態度が、さらに洋吉を不安にさせた。栄介に万一のことがあれば、中学校長も人格者もあったものではない。

洋吉はソファに腰をおろしたが、落ちつきなくまた立ちあがった。山畑の記事さしとめの依頼を受けた志村という記者が、どのようなことをいっていたのか、摩理にもっと詳しく聞けばよかったと思った。

それにしても、摩理と志村とは、どんな知り合いなのか。摩理は志村に、栄介のことをどのように話したか。摩理は、栄介に対してもさして敵意をもっているとは思われない。親しい隣人として、たぶんかばってくれたのではないか。栄介の身を案ずればこそ、わざわざ山畑の件を自分に知らせてくれたのだろう。摩理にもう一度、詳しく尋ねてみようと、洋吉は玄関まで出た。

ドアをあけると、風が少し肌寒い。洋吉は雲脚の早い空を見あげた。遠く石狩の野の果てに、青い空が一筋のぞいている。その空を見ると、いっそう心が妙にさわいだ。落ちつかぬまま、洋吉は玄関の前に立っていた。摩理に根ほり葉ほり聞くのも、何かためらわれる。

再び洋吉は居間にとって返した。

（いったい、何のために遅くなるのか）

栄介のいるところには、必ずよからぬことが起きているような気がする。洋吉は腕組みをして、深い吐息をついた。

玄関のドアがあく音がした。洋吉は腰を浮かした。が、ブザーの鳴らぬところをみると、勝江にちがいないと腰をおろした。五時過ぎになるといっていたが、思い返して車で帰ってきたのかもしれないのだ。

居間のドアがあいて、はいってきたのは弘子だった。

「ただいま」

「何だ、弘子か。早いじゃないか」

　まだ三時半である。

「ええ。早退したのよ」

　弘子は低い声でいった。

「体具合でもわるいのか」

「ううん」

　力なく首を横にふって、弘子は洗面所に行った。弘子のうがいをする声を聞きながら、何か栄介のことでも聞きこんできたのかと、またしても洋吉は動揺した。

「お母さんは？」

　弘子がもどってきて聞いた。

「街まで出かけたよ」

「そう」

「何で早引きしたのかね」

「…………」

「元気がないようだが」

「元気よ」

「何かあったのか」

「何もないわ」

「じゃ、何で早引きしたのだね」

「……お盆だからよ」

「お盆だから？」

「ええ。お母さんが遅くなるのなら、わたし夕食の支度をするわ」

ようやくふだんの弘子にもどった。

「五時になったら、炊飯器のスイッチをいれてくれといっていたよ」

「五時に？　まだ一時間以上も時間があるわね。お母さん何か買ってくるのかしら」

「たぶんね」

着更えに二階にあがって行く弘子を見あげながら、洋吉は山畑のことを弘子にいうべきか、否かと迷った。弘子が何か鬱屈した思いで帰ってきたことは確かだが、それが山畑や栄介に関することかどうかわからない。

軽い足音を立てて、弘子が降りてきた。チェックの半袖のブラウスに、ミニのフレアスカートをはき、白いエプロンをかけている。

「お父さん、なにをおあがりになる？」

「弘子がつくるのか」

「ええ。どうせ、お母さんは筋子かタラの子を買ってくるぐらいでしょ？」

勝江は絶対に、フライや天ぷらを買ってこない。店で使う油は、新しいかどうか、わからないというのだ。

「庭のしその葉で天ぷらをつくって、ありあわせの野菜で涼菜《リャンサイ》をつくろうかしら。お父さんの体にいいものばかりよ」

ふだんより、弘子の言葉がやさしく響いて、洋吉の心が少しなごんだ。

「うん、涼菜と、しその葉の天ぷらはいいね」

「それと、そう、コンフリーも天ぷらにしてあげるわ」

「しかし、夕食の支度はまだ早いだろう」

「そうね、お茶でもいれるわ」

弘子はガスレンジにやかんをかけた。

「いやに今日はやさしいじゃないか」

「あら、お母さんがいないからよ。いつもお母さんがさっさとお茶をいれたり、果物を出したりするんですもの。まったく、お母さんって、手ばやいわ」

「あれは働き蜂だ」

「お母さんって、何だか、かなしいみたいな人ね」

「かなしい？　あれは、かなしみも喜びもないような女だよ」

「そうかしら。お母さんって、何だか自分一人の部屋に閉じこもっているような、寂しい人みたいよ」

「いや、無感動な奴だよ」

「そうかしら」

「そうだよ。何かが欠落している女だ」

湯のわく音がした。弘子はガスの火をとめて、

「いやーね。わたしを生んでくれたお母さんの悪口をいっては」

「悪口といえば、栄介は今日は遅くなるから、夕食はいらないそうだ」

「遅くなるのは毎度のことだけれど……」

弘子は眉をひそめ、

「お兄さんって、どういう気なのかしら」

と紅茶を盆の上にのせて運んできた。

「何だね、どういう気とは？」

「だって……」

弘子の黒い目がふとかげった。やっぱり何かあったのだと洋吉は、次の言葉を心の中で探した。

「ね、お父さん」

「うん」

「わたし、今日ね、紀美子さんのお墓参りに行ってきたのよ」

「え？　あの西井さんの娘の？」

「そうよお父さん。あの人の初盆ですもの。早引きして平岸のお墓に行ってきたわ」

「なるほど。お父さんも、初盆だとこのあいだから思っていたんだが……」

思ってはいたが、いまさら墓参りもできないほど不義理をしている。

「ね、お父さん、わたしがあの霊園にはいって行ったら、紀美子さんのお父さんが、ぼんやりとお墓の前に立っているの」

「一人でかね」

「そう。お一人で、お墓をじっと見て立っているの。あんまり寂しそうな姿なので、わたし、近づいて行くこともできなかったわ」

墓前に立っていたという西井市次郎の姿を思い浮かべ、洋吉はうなずいた。

「それがねお父さん。十分や二十分ではないのよ。わたしが行く前からだから、ずいぶんと長い時間立っていたと思うの。親って、あんなに悲しむものなのねえ、お父さん」

「それはそうだろう。お父さんだって、おまえに自殺などされては、あきらめきれないだろうからね。まったく申しわけないことだなあ」

申しわけないという洋吉の言葉が、いかにもおざなりに聞えて弘子は思わず洋吉の顔をみた。

「お父さん。申しわけないなんていうだけでは、済まないと思うわ。紀美子さんのお父さんが、ああして、じっと墓石にでもなったように立ちつくしている姿を、わたし、お兄さんにもお父さんにも見てほしかったと、つくづく思うのよ」

なぜもっと思いやれないのか。そうした不満が、自然に弘子の語調にあらわれた。

「まったく栄介にもこまったものだ」

「お兄さんは、お盆だというのに、紀美子さんのことを、思い出しているのかしら。今夜も遅くなって、よく遊んでいられるものね」

「しようがないよ、あいつのことは。いくらいっても、なおることはないだろうからな」

腕組みをする洋吉に再び目をとめて、

「いくらいってもなんて、お父さんは、お兄さんに何もいってはいないじゃないの」

弘子はつい詰るようにいった。

「いってわかる奴なら、とうにいっているよ」

「あんなにならない前に、何とかできなかったの、お父さん。わたし、お父さんの事なかれ主義がいけないと思うわ」

痛いところを突かれて、洋吉はむっとした。はじめ弘子がやさしくふるまっていただけに、いわれた言葉がいちだんと深く突き刺さってくる思いだった。洋吉は何かいおうとしたがやめた。


弘子と並んだ車のなかで、洋吉はいくども時計を見た。べつに何時までに行かねばならぬという制限はない。が、おのずから人を訪ねる時刻というものはある。夕日が落ちたあとの空が今日は妙に黄色く広がっていた。

途中で洋吉たちは仏具屋によった。初盆の提灯は、あらかた売れて、高価のものが二つと、あとはあまり見栄えのしないデザインの盆提灯が、五つ六つぶらさがっていた。

摩理から聞いた話の真相を、洋吉はやはり志村に確かめたかった。が、そのためには、まず、紀美子の位牌に手を合わさねばならなかった。そして、それは、この初盆をおいて機会はない。

治の態度が軟化して、市次郎も志村も、弘子にねんごろに対してくれることを知った洋吉は、勇気を出して出てきたのだった。

夕刊には、山畑の記事は出ていなかった。まして検挙もされていない栄介のことが、書かれるはずはない。そう思いながらも、まだ洋吉は不安だった。

回り灯籠のくるくるまわる盆提灯を買い、洋吉と弘子は再び車に乗った。藻岩山のロープウェイに灯がともり、山が黄昏のなかに輪郭をおぼろにしていた。

「何を考えている?」

さっきから黙っている弘子に、洋吉は声をかけた。行き交う車が多くなった。

「あのね。わたしとお父さんだけじゃ、お墓参りに行く意味がないみたいだと思って……」

「うむ。わたしもそのことには気になっていたがね」

「今日はやめにして、明日お兄さんを誘ったほうがいいんじゃない?」

「なるほど」

話しているうちに、車は豊平川にかかった真駒内橋を渡った。冬季オリンピックを来年に控えた真駒内は、あちこちに工事があるらしく、大型のトラックや、ダンプカーが幾台も行き来している。

「しかし、せっかくここまで来たのだからね」

栄介を誘ったところで、どうせ一緒にきはしまいと思う洋吉は、西井家のすぐそばまできて帰ることにちゅうちょした。時間と金を無駄に使うような気がするのだ。

「でも、西井さんのお家では、誰よりもお兄さんにきてほしいのよ」

「それはそうだろうが、栄介はこないだろうからね」

「それがお父さんのいけないくせよ。まず誘うのよ。強引に命令してもいいのよ。お兄さんだって、もう少し人間らしくあるべきなのよ」

「だがね、弘子。おまえよりお父さんのほうが、栄介を知っているよ。あいつには何の期待もかけることはできないよ」

くろぐろとそびえるポプラ並木の下を、車はいささかのためらいもなく西井家に向って走って行く。

「でも、いったん帰ってみましょうよ。そして明日無理矢理でも誘ってきたほうがいいわ。でなければわたし、恥ずかしくて……」

左手に小さな泉町公園が見えてきた。小学二年生ぐらいの女の子たちが、四、五人、スキップをしながら何からうたっている。

「それもそうだが……」

「西井さんのお家だけ見ていってよ。運転手さん、そこを左にまがってください」

青い電話ボックスの前を過ぎると、すぐ右手に西井家が見える。

「ちょっと徐行してください。ほら、すぐそこの家よ。あ、いま外灯がついたわ」

点したのは市次郎か治か、いま、ほの白い外灯がついた。

「なるほど、この家かね」

徐行する車から眺めていたが、

「降りようじゃないか、弘子。ここまできて、寄らずに帰るのも失礼だよ」

「降りますか」

運転手は車をとめた。

「じゃ、お父さんだけ行ってらっしゃい。わたしはいやよ」

「そんなことをいって、おまえ……」

洋吉としては、一刻も早く志村芳之に会いたかった。会って、うつべき手を早くうちたかった。

「わたし、やはり栄介兄さんとくるわ」

弘子は降りようとはしない。

「降りるんですか、降りないんですか」

いらいらと運転手がいった。

「ああ、すまないね、君、さ、弘子、降りなさい」

「だめよ、お父さん」

父と行くだけでも、市次郎は喜んでくれるかもしれない。しかし、治はどんな顔をすることか。とにかく紀美子の初盆なのだ。死者に誰もが心をよせるときではないか。

「しかしね、弘子、栄介がお参りしたからといって、必ずしも喜んでくれるかどうか、わからないじゃないか」

「それは、そうかもしれないわ。でも、お兄さんとしては、くるべきよ」

「おまえがいうから、こうしてきたんじゃないか」

「あ」

弘子は、はっとした。西井家の玄関のドアがあいたのだ。

「運転手さん、すみません。家にもどってください」

運転手は、むっつりと車を走らせはじめた。

ふり返ると、玄関からカッポウ着姿の女が出てきた。いつもきているという隣家の矢野路子らしかった。

盆提灯

バック・ミュージック

バック・ミュージック

八月も二十日を過ぎると、めっきり夜風が涼しくなった。

今野と弘子は、市次郎と共に、いま食事を終えて店を出たところだった。今野と市次郎は二人で銚子を四本あけた。

外へ出た今野に、市次郎が誘った。

「どうです？　もう一軒寄っていきませんか」

「そうですね。あすは日曜だし」

今野は弘子を見た。今野たちも、酒のあと、軽く茶漬をかきこんだのだ。が、誘われれば、つきあうことはできた。

「弘子さんも、バーぐらい知っておきなさい。男どもはどんなところで飲んでいるのか、知っておく必要がありますよ」

このまま別れるのが、市次郎には寂しいのだと弘子は察した。いまの店で、今野と市次郎は、はじめ芭蕉の話をしていたが、一転して『徒然草』に変った。兼好法師という男は、なかなかおもしろそうな人物だが、こうして酒を汲みかわして語るには、油断のならない鋭さがあって、あんまりいい相手ではないだろうとか、では、どんな相手が酒の相手にはよいかなどと、他愛のない話をして、二人は楽しそうだった。

今野は市次郎のやさしい心づかいをゆったりと受けいれるし、さっぱりとした気性だから、市次郎も気にいっているようだった。その二人の話に耳を傾け、時々相づちを打ちながら、しかし弘子の思いは、ともすれば別のところにあった。

栄介は遂に、初盆にも紀美子の家に顔を出さなかった。十三日の夜、栄介は酒に酔って遅く帰ってきたから、その日は何もいわずに、朝になって、洋吉がきりだした。

「栄介、今日は盆の十四日だね」

「ああ、地獄の釜のふたが開くというのは、昨日だったのか」

栄介は体質であろうか。二日酔を知らない。前夜、いくら遅くまで飲んでいても、朝飯は二杯平らげる。

「西井さんの家では、初盆だからね。おまえも顔を出したらどんなものかね」

栄介は持っていたみそ汁の椀を、音立ててテーブルに置いた。わかめのみそ汁がゆれて、少しテーブルにこぼれた。

「いやですよ、いまさら」

「いやだという挨拶はないだろう。むこうさんでは、おまえがお参りに行けば、慰められるのだからね」

「まさか。そんな甘っちょろいもんじゃないでしょう。いまさら何しにきたと、口に出してはいわなくても、腹を立てるのがオチですよ。ばかばかしい」

鼻先で笑う栄介に、弘子がいった。

「じゃ、お兄さん、お墓参りだけでも行ってきたら？」

「墓参り？　俺はそんなナンセンスなことはしないよ」

「何がナンセンスなの？」

「無意味じゃないか。弘子にはわからんのか。墓には骨があるだけだ。骨の前に行ったところで、どうということもないだろう。死んでしまえば人間は終りさ。何もないところで、頭をさげたってナンセンスだよ。無意味だよ」

「そうかしら。そんなに無意味なものかしら。少なくとも、お墓に参る心は、人間らしい心だと、わたしは思うわ」

「センチメンタルさ。とにかく俺は行かんよ」

にべもなく栄介はいった。

「そう。じゃ、お兄さんに聞くけれど、お兄さんは、いったい紀美子さんのことを、思い出してあげることがあるの」

「俺は過去をふりかえらないよ。後を見るより前を見よだ」

「まあ?　思い出しもしないの」

「思い出したくなくても、頭に浮かぶことはあるさ。朝からくだらんことをいうな」

「くだらんこと?」

なおも問いかける弘子に、洋吉がいった。

「いい!　もういい。弘子、何もいうことはない」

「珍しいね、いやにカッカとしているよ、おやじさん」

食事を終えて栄介は、さっさと車を運転して勤めに出て行った。栄介は十日ほど前、とうとうスポーツカーを買った。不二夫にも弘子にも、乗せてやろうという栄介ではない。あっというまに、庭の一隅にガレージを建てた栄介だった。

いま考えると、あの栄介が、おとなしく西井家にお参りに行くはずもなかったのだ。それが、なぜあの時可能だと思えたのか、弘子は自分でもふしぎだった。

たぶん、あの日、墓の前に長いこと立っていた市次郎の姿が、弘子に判断力を失わせたにちがいない。あの市次郎の悲しみを見た時、弘子は栄介も父の洋吉も、当然西井家の初盆に顔を出すべきだと思ったのだ。そして、それを自分は説得できると思っていたのだ。

どうかしていたのだと、弘子はいま思う。栄介にまともな期待をしていた自分のほうが、どうかしていたのだと思う。

結局、十四日の夕べ、再び弘子と洋吉は西井家を訪れた。洋吉の訪問を、市次郎は恐縮さえして、こころよく迎えいれてくれた。治は格別喜びもしないが、迷惑げな顔もしなかった。

洋吉は、紀美子の写真の飾ってある仏壇を見ると、さすがに顔をあげ得ぬ思いらしく、大きな体を小さくかしこまらせていた。

まもなく志村が帰ってきた。志村は二人の顔をみると、何かいいたげだったが、ほとんどだまっていた。

盆提灯が十ほど、天井から吊るされたり仏壇の前に置かれたりして、それぞれに電灯が点っていた。それは明るくはあったが、いかにも寂しい明るさだった。市次郎は、初盆に新しい盆提灯をさげるならわしは、いつのころからあるのだろうかなどといい、つとめて紀美子のことには触れなかった。弘子も洋吉も、市次郎の前で紀美子のことに触れるのもはばかられて、さしさわりのない世間話を二十分ほどして、西井家を辞した。

ほとんど話に加わらず、黙然としていた治が、帰りぎわに、

「ぼく、車でお送りしますよ」

といった。思いがけない言葉に、弘子はハッとした。真駒内から手稲までは、往復一時間はかかる。洋吉が固辞して外へ出ると、志村が、

「ぼく、ちょっとタバコをきらしたので、そのへんまでご一緒します」

と、下駄をつっかけて追ってきた。

タバコ屋はすぐ右手のマーケットにあるが、志村は左手のポプラ道のほうに、少し先に立って歩いた。三、四十メートル歩いたところで、思いがけなく志村があやまるようにいった。

「摩理さんから、お聞きになったと思いますが……」

「はあ」

「あら、おとうさん、摩理さんからって、何かお話があったの？」

洋吉があわてた。

「ああ、弘子さんはご存じなかったんですか。これは失礼しました。じゃ、いずれ後で……」

志村が話をひっこめようとするのを、弘子はとりすがるようにいった。

「あら、いいかけていわないのって気持がわるいわ。おっしゃって」

「よろしいですか、真木さん」

「いや、どうぞどうぞ。実はね、弘子、あの山畑という男がね、警察に挙げられたんだそうだ。なんせ、栄介の友だちだし……」

「まあ!」

弘子の歩みがとまった。その歩みを促すように志村が先に立っていった。

「弘子さん、お聞きのとおり、山畑という男が挙げられたのは本当です。ぼくは彼のおやじとちょっとした知り合いでしてねえ。それで記事にならないようにって、頼まれたわけなんですよ」

「それで?」

「山畑のおやじさんの話ですが、以前に、栄介君が山畑をそそのかして、なんですかお父さんを脅したことがあったそうですね」

洋吉も弘子も、返事ができなかった。

「まあそんなことを山畑のおやじは聞いていて、今度の一件も必ず栄介君が一枚かんでいる。いや首謀者かもしれない。それを警察にいうとか、いわせるとかいきまいてですねえ」

「………」

弘子の顔色が、街灯の下でありありと変った。

「いや、それほど心配はいりませんよ。今度の事件は、山畑一人の仕業だとわかる単純な事件なんです。しかし、親というのは自分の子供がかわいいいんですね。なんとか人の責任にしたいんですよ。とにかく、山畑のおやじにしてみれば、栄介君のことを引き合いに出せば、西井の家にいるぼくが、同情して動いてくれると思ったようなんです。それで、ぼくは答えておきましたよ。ぼくは直接社会部を担当しているわけではないし、第一、新聞社が外部からの要請でいちいち記事を左右できるものではないって。それとですね、栄介君のことをいい出せば、かえって藪蛇になるんじゃないかとも、いっておきましたよ。もちろん、私的にはせいぜい力にはなりたいといったんですが、たぶん栄介君のことは、今回はいわないと思いますよ」

志村にそういわれて、弘子は顔に血が集まる思いだった。

弘子としては、紀美子に対するすまなさが第一で訪ねたつもりだった、父の洋吉の思いはちがっていたのだ。いくらかはすまない気持を持っていたとしても、おそらく栄介のことが気にかかって、出かけてきたにちがいない。しかも、その腹の中を志村に見透かされていたのだ。

が、志村はべつだんそれを咎める様もなく、

「このことは、西井の家人には何もいっていませんから、そのつもりでいらしてください。

ぼくは仕事のことなど、人には語らないんですが、摩理さんの耳にはいったのは、実は偶然なんです」

志村の話によると、社の応接室で、摩理と個展のことで話しているところに、山畑の父親が顔色を変えてとびこんできた。明日の朝刊に出たら大変だとばかり、摩理の前もかまわず、記事さしとめを頼んだ。

彼女を客だとは思わず、社員だと思ったのか、それとも目にはいらなかったのか。山畑の父は、いいたいことをたちまち並べたてた。

「彼女は一を聞いて十を知る人でしょう。栄介君の名まえが出て、ぼくもうっかり山畑さんなどといったのも悪かったんですが、とにかく故意に彼女に洩らしたのではないんです。そこのところを誤解なさらないでください」

志村としては、案外そのことをいいたかったらしく、自分の口からいったのではないと、しきりに強調していた。

「あのあと、彼女に念のため口外しないように、電話したんですが、後の祭りでした。彼女、あら、さっそく、おとなりにいってあげたわよ、悪かった？　って澄ましていうので、実は困っていたんです」

志村は、洋吉がそのことで文句をいいにきて、いいそびれて帰るのではないかと思ったようであった。洋吉も無論文句のいえる筋合ではない。

山畑と栄介がどんな関わりをもっているか、それを知りたかっただけで、口外云々については何も思っていたわけではないといい、初盆のお参りと重なって、心苦しく思っていると、偽りのない気持を洋吉は洋吉なりに語った。話し合って、洋吉も志村も不安が消えたらしかった。

が、弘子は何かいいようのない恥ずかしさと、不安を感じた。

その恥ずかしさと不安は、今日もなお消えてはいない。

いま、今野と市次郎に少し遅れて、夜の雑踏の中を歩きながら、ともすれば弘子の心は重くなりがちだった。

「ねえ、弘子さん」

市次郎がふり返った。

その市次郎にあやうくぶつかりそうになって、まだ二十にも見えないホステスがかけぬけて行った。肩も背もあらわなドレスが、この〝すすきの界隈〟では、少しも違和感がない。

「え？　何ですの」

「今野君と弘子さんが、のんびりできるのも、今日ぐらいじゃないんですか」

「そうね。でも、二人ともあまり準備にエネルギーを使わないんです」

大きな西瓜の並ぶ明るい果物屋の前を通り少し人通りの少ない仲通りにまがった。

結婚のための買物は、ほとんど勝江が一人でやってくれるし、披露パーティーは、局に原というベテランがいて、万事をまかせている。この十年来、局内の結婚披露宴は、みな、原を中心とする男女数人のグループが、心をこめ、その都度趣向を変えてやってくれるのだ。

二人の借りるアパートも、中島公園の近くに決っている。ドレスやスーツの仮縫いがあるが、思ったほど忙しくはないのだ。

「それはいい。うちの大学には、結婚式のためにくたくたになって、喧嘩ばかりしていたカップルがありましたがね」

「先生、それもいいんじゃないんですか。結婚は一回きりで、二度とするものかと思うようになるかもしれませんよ」

「ところがさにあらず、一時は別れ話までもちあがりましてね」

思わず今野も弘子も笑った。笑ってから弘子は、なぜ人の離婚話がおかしいのかふしぎだった。

「こんなところに、お馴染みがあるんですか」

あるビルに、ついと市次郎がはいると、今野がいった。

「いや、馴染みじゃありませんけれどね。今日で三度めです。わたしは盛り場よりも、こんなはずれの店が何となく好きでしてね」

「先生らしいですね」

三人は「バーとき」と青い灯のともった店にはいって行った。中年の男が二人、カウンターにすわっていた。その二人をはさむように、マダムの時子と、若いホステスのマミがすわっていた。

「あーら西井先生、いらっしゃい」

時子が立ちあがり、市次郎からすばやく今野に目を移した。

「わたしの友だちだ」

「まあ、若い友だちね、あら」

時子はうしろに立っている弘子に視線を注ぎ、

「いらっしゃいませ」

と、にっこり笑った。

弘子を中に、市次郎と今野がカウンターに向った。

「オンザロックでしたね、先生」

「ああ、今野君は何にする?」

「ぼくも、オンザロックにしますよ」

「あなたは？」

時子が弘子を見た。おやと、弘子は時子をみた。どこかで聞いたことのある声音なのだ。いま、「あなたは」と低くいったその声に、弘子は聞き憶えがあった。

「わたし、わるいんですけれど、レモンスカッシュをいただきたいわ」

「かしこまりました」

時子は微笑を浮かべた。やはり聞いたことのある声だった。

「たくさんのウイスキーねえ。常連の方たちのかしら」

いったい、どこで聞いた声かと思いながら、弘子はいった。

「そうですよ。ここも常連が多いんですね」

今野も棚を見あげた。

「今野さんも、ご自分のウイスキーをどこかに預けてあるの？」

「いや、ぼくには、ありませんよ」

弘子はラベルに大きくマジックインキで書いた名まえを眺めていた。

「横沢」「高橋」「和田」「八島」「益田」「野口」「谷」と順に見るともなく見ていると、「西井」と書いた瓶があった。市次郎はここに三度めだというが、もうウイスキーをあずけているのかと思いながら、弘子はまだ、どこかで聞いた声だと、しきりに考えていた。

「弘子さんは、きれいなお嫁さんになるだろうなあ」

市次郎がいった。

「まあ、心さえあればいいですよ」

「いや、心もたっぷりありますよ。この人は」

市次郎はしみじみといった。

その時、カウンターの横の電話のベルが鳴った。若いホステスが、むっちりとした腕をのばして、受話器をとった。

「ママさん、お電話」

時子が出て、

「はい。もしもし、わたしよ。……何をいっているのよ、ばかねえ。……え？　もしもし、なあによ」

声を低めて電話する声に、弘子の胸がとどろいた。

(あの声だ！　あの声だわ)

弘子はマダムの顔をまじまじと見た。

今野の過去を知っていて、それでもなお結婚するのかと電話をかけてきた女は、この女だったのか。

今野とこの女が、今日はじめて顔を合わせたのは明らかである。この女は、いったい誰に頼まれてあんな不快な電話をかけてきたのだろう。それはまず、自分と今野が結婚することを知っている人間でなければならない。そして、この女とある程度親しい間柄の人間でなければならない。

自分たちを知り、かつ、このマダムとも知り合いの人間は、すなわちこの西井教授である。

（まさか？）

この人があんないたずら電話をかけさせるわけはない。

「敗戦の時、弘子さんはまだ、生まれていませんでしたね」

市次郎がやさしいまなざしを向けた。

「ええ」

市次郎では断じてない。弘子はそう思いながらうなずいた。

「そうか。今野君も生まれていなかった？」

「いや、先生ぼくは、おふくろのおっぱいを飲んでいましたよ」

「なるほどねえ。わたしにとって、敗戦はついこのあいだのことだと思いますがね、あなたたちにとっては遠い昔のことですかねえ」

まだ電話をかけているマダムの、上気した横顔を弘子はちらりと見た。このマダムは、いたずら電話の相手がいまここにいることを、果して知っているのだろうか。

それにしても、誰があんな電話をかけさせたのか。不快と不安を与えられた何度かの電話を弘子は思い起しながら、棚を見上げた。ずらりと並んだウイスキーのなかに、まぎれもなく「西井」と書かれた一本がある。

(常連とマダム)

やはりこの西井教授であろうか。しかし、もしこの教授なら、あんな電話をかけさせる女のいる店に、今日わざわざ誘うわけはない。

ようやく電話を終えたマダムが、もどってきた。

「もう一杯」

市次郎がいった。時子は「西井」と書いたウイスキーについと手を伸ばした。と、市次郎がいった。

「ああ、君。それは治のですからね。別にいただきましょう」

弘子がハッと息をのんだ。何も知らない今野が、

「ほう、治君もこの店にきているんですか」

と、少し驚いたとき、

「西井先生のおかたいこと。このあいだもそんなことをおっしゃって。息子さんのウイスキー

ぐらい召しあがってもかまわないじゃないの。ねえ」

と、時子は弘子に笑いかけた。

「いや、わたしはまだ、息子のウイスキーをくすねるほど、さもしくはなっていませんよ」

「それはどうも失礼をばいたしました」

時子はおどけて、

「ね、先生。こちらのきれいな方ね、どちらにおつとめ？」

「ああ、この人はね、真木弘子さんといって、ミスＨＫＳといわれている佳人ですよ」

「じゃＨＫＳに？」

はじめてマダムの表情にかすかな狼狽が走った。

「そう。こちらの今野君は、同じＨＫＳのディレクターでね」

「まあ、ディレクター！　たいへんなお仕事なんでしょう」

落ちつきのない表情をかくすように、時子は大きな声でいった。

「いや、ぼくでも勤まっていますからね」

「この二人は、来月ゴールインするんですよ。いや、スタートというところかな」

「そうですか。それはおめでとうございますわねえ」

もう時子はたじろがずに、

「いまがいちばん楽しいときですわねえ」

とつづけた。落ちつきはらった時子の態度に、弘子はさりげなくいった。

「わたし、あなたのお声をどこかで聞いたことがあるみたいよ」

「……あら、そうですか」

時子は微笑を見せ、今野に、

「お幸せね、こんなすてきな方を奥さまになさるなんて」

「ええ、幸せです」

「まあ！　はっきりおっしゃるわねえ」

陽気に笑いながら、時子は他の客のそばに寄っていった。その時子を弘子は目で追った。

時子は何かいった客の手をポンと叩き、

「とてもとても」

と、首を横にふった。

「志村や治君を誘えばよかったですね」

今野がいうと、

「いや、治はおやじのわたしなどと飲み歩くなんて、まっぴらでしょう」

「ま、そういうものかもしれませんね」

「志村はあれで、いいのどをしてますよ」

「そうそう。彼の黒田節は学生時代から有名でした。のど自慢コンクールに出たら、あれは入賞まちがいなしです」

二人の話を聞きながら、弘子ははじめて西井家を訪ねた日、治に激しい憎悪の言葉を浴びせられたことを思い出していた。あれだけの憎しみが、そう簡単に消えることはないのだ。紀美子への愛情の情のあるかぎり、治の真木一家に対する憎しみはつづくにちがいない。

あの、おどおどとした蒼ざめた紀美子を、玄関先でいきなり、

「何しにきた！」

と、どなりつけた栄介の声が、まだ弘子の耳にもこびりついている。もし、あの声を治が聞いていたら、その憎しみはいっそう深いものであったにちがいない。しかも、紀美子を追い返してから栄介はいったのだ。

「死にたければ、死んだらいいといってやった」

そして紀美子は死んだのだ。治が、いやがらせの電話をかけさせたくなった気持が、弘子には痛いほどよくわかった。あの電話も、てっきり栄介の仕組んだものとばかり思ったことだったが、治の仕業とわかって、弘子は納得できる思いだった。

それは、紀美子への申しわけなさと同時に、市次郎を通して、治にも同情を覚えている

からでもあった。が、何より弘子は、栄介の非情を憤っていたのだ。

(でも、わたしたちは無事に結婚できるのだろうか)

　ふと、弘子は傍らの今野を見た。

　治の急激な、自分への態度の軟化を、弘子はあらためて無気味に思った。治の心の中に、何かがかくされているような気がする。結婚まで、あと僅かの日数である。が、その間に想像を超えた突発事件でも起りそうで、弘子はいいがたい不安を覚えた。

　考えてみると、楽しかるべき婚約期間も、たえず栄介によって、黒い雲におおわれているような、不安感にさらされてきた。自分の生活を流れているバック・ミュージックは、不安をかきたてる暗い旋律だった。

(電話のことを知られて……)

　さらに治は何かを企みはしないか。と思うと、いっそうとりとめもなく胸がさわいでくる。

弘子はそれを追い払うように、今野と市次郎にいった。

「ねえ、ナゾナゾよ。当ててくださる?」

「ナゾナゾは苦手だな、ぼくは」

「そんなこといわないで、聞いて。あのね、札幌と函館の間の、特急しか走らない線は、何線ですか」

「特急しか走らない線なんか、ありましたかねえ」

「ないですよ、そんなの」

「なあるほど。だからね、それはありませンというセンなのよ」

「なあるほど。それでナゾナゾというわけか」

「そうよ。近所の子供にこのあいだ聞かれて、わたしもわからなかったの」

「子供というのは、ナゾナゾが好きなものですよ、弘子さん」

「そうねえ。このあいだ一時間くらいナゾナゾの相手をさせられましたわ。子供は頭が柔軟なのね」

「そう。大人は既成概念で頭が固くなっていましてね。ユーモアもわからないし、ナゾナゾ遊びなどを、考える意欲がないんですよ」

「じゃ、もう一問ね、コルクの栓のあるぶどう酒の瓶があるの。でも栓抜きがないんです。瓶を割ったり、コルクに傷つけたりしないで、なかのぶどう酒を飲めるでしょうか」

「あ、そんなの、わけないよ。コルクを押しこんで、瓶の中に落しこんでしまえばいいのさ」

「ほう、柔軟な頭ですね、君は」

「どういたしまして。『頭の体操』という本で読んだのですよ」

「あら。わたしもあの本を思い出して、質問したのよ」

三人は笑った。時子がその笑い声に弘子を見た。弘子は視線をそらせた。いつのまにか、若いホステスが市次郎の傍らにすわって、長いつけまつ毛の目を大きく見ひらいていた。

バック・ミュージック

相克

相　克

ランニングシャツ姿で、栄介は車をせっせと拭いている。部屋の掃除はしないが、車だけは毎日手入れをする。バンパーもホイルキャップも午後の日にピカピカ光るのを、栄介は満足そうに眺めて、ズボンからタバコを取り出した。

「あら、栄介さん、どこかにお出かけ?」

エプロン姿の摩理が、うす紫の買物籠を手にさげて現われた。

「いや、帰ってきたところですよ。あなたは?」

栄介の目がいつものようにすばやく摩理の左手の指に走った。何の指輪もはめていない。

「わたし? わたしはちょっとマーケットまで出かけるの」

「お送りしますか、といいたいところですがね。こういうとき、車を持っている女性は誘いづらいな」

長い足をひらいて、タバコの灰を軽く落すポーズが身についている。

「ということは、女性にとって、車は護身用でもあるということね」

「どうも、あなたにはかなわないな」

「小母さまはいらっしゃる?」

「ああ、いるようです。さっき玄関から顔を出して、何だかひとりごとをいっていましたから」

「そう」

摩理は玄関のほうに歩いて行った。が、二分ほどですぐに出てきて、

「じゃあね、バイバイ」

と、栄介に向って片手をあげた。

「車で出かけるんですか」

「そこのマーケットまでですもの、歩くわよ」

摩理のうしろ姿を、ブロックの塀越しに見送っていた栄介の目が、にわかにぎらりと光った。

栄介は以前から、摩理のダイヤをねらっていた。海で一突きされ、溺れさせられた返礼はしなければならない。死ぬ思いをさせられたのだ。ダイヤでは安すぎるとさえ思っていたのだ。

が、なかなかその機会がない。今日こそはと、栄介は今朝から思っていたのだ。

マーケットまで往復二十分はかかるにちがいない。買物の時間を入れると三十分は充分かかるだろう。栄介は時計を見た。

栄介は急いでジャッキをトランクから出し、タイヤをとりかえる作業ができるように段取りをすると、まわりを見まわして、さっさと門から外に出て行った。

摩理の家の玄関に立った栄介はズボンのポケットから運転用の手袋を出してはめ、ノブに手をかけた。ドアには鍵がかかっている。栄介の額にうっすらと汗が滲んだ。栄介はすばやく裏口にまわった。裏口も錠がおりている。

(ふん、用心のいいお嬢さんだ)

さらに栄介はテラスにまわった。テラスのガラス戸にも施錠がしてあった。

「ばかにしてやがる」

帰りかけたが、画室の窓を見て、栄介は再びとって返した。低い窓だ。そっと手をかけると、窓は音もなくするするとあいた。

栄介は窓下で靴をぬぎ、長い足をかけて、ひらりと窓わくにあがった。さすがに動悸した。栄介は用心ぶかく、内側の窓下を見た。キャンバスや花びんが並べてあるはずなのだ。

それらにふれぬように床に降り立った栄介は、ただちにめざす押入れをあけた。前に見た位置に宝石入れの小さなタンスがあった。そっと下の段をあけた。真珠のネックレスとブローチがあった。その上の段をあけると、ルビーの指輪や、金のネックレスがある。栄介はいらいらとその上をあけた。藍色のビロードの箱に、ダイヤはあった。

栄介は思わずあたりを見まわし、箱のままポケットにいれた。が、思いなおして、指輪だけを手袋をはめた指でつまみ、ハンカチに包んで、ポケットにいれた。指輪だけをぬいておけば、置き忘れたのだろうということもできるのだ。

と、その時、玄関に誰かきたらしく、オルゴールが鳴った。栄介はハッと身をすくめた。もう一度長々と鳴った。栄介はすぐにそっと窓をしめた。裏口にまわったらしい女の声が聞える。とたんに栄介は、窓下にぬいだ靴を思い出した。急に動悸が早くなった。

「変ねえ、今日はいるはずなのよ」

テラスにまわれば、すぐに男物の靴が目にはいるはずだ。が、いまから窓の外に出ることはできない。栄介の口がからからになった。案の定、女たちがテラスにまわってきた。家の中をのぞきこんでいるらしく、

「やっぱり、留守らしいわよ」

という声がした。靴が見つかるのは時間の問題だった。

「でも、ガレージに車があったじゃないの。遠くには行っていないわ」

「じゃ、外で待ってましょうよ。ここは日が当って暑いわよ」

「そうね。とにかく、夕食をご馳走してくれるって、おっしゃってたのよ、摩理さんは」

女たちの話し声が表のほうに遠ざかった。靴はみつからなかった。

冷や汗が、じっとりと脇に流れた。ほっと栄介は息をついた。が、安心はならない。外であの女たちは摩理を待っているというのだ。いま出て行っては、女たちに顔を見られてしまう。

といって、いつまでも家の中にとどまるわけにはいかない。栄介は息を殺して、そろそろと窓をあけた。窓下に靴があった。はいるときは気づかなかったが、靴は大きなあじさいのひとむらの陰にあった。女たちが気づかなかった理由がわかった。

栄介はパッと外に降り立ち、あたりを見まわして窓をしめた。しめてから、ハッとした。押入れの戸をもとどおりしめてきたかどうか、記憶にない。

指輪をハンカチに包んでポケットに入れたところまでは知っている。その時ブザーが鳴って、あとは動てんして、よく覚えていない。もし摩理が女たちと一緒に帰ってきて、押入れの戸があいていたら、すぐ騒ぎ出すにちがいない。

もう一度、窓をあけるのはためらわれた。いつ女たちが、またここにまわってくるかわからない。が、あけて調べねばいっそう危険なのだ。そっと窓をあけ、身を乗り出して窓下の押入れを見ると、押入れの戸はしまっていた。ほっとして再び窓の戸をしめ、左右を見まわすと、栄介はいきなり、わが家との境のブロックの塀にとびついた。

とび降りれば、わが庭である。降りて家のほうを見たが、誰も気づいたものはないようだった。栄介は塀越しに摩理の家を眺め、ポケットに手を入れて、ハンカチの中の指輪に手をふれると、ニヤリと笑った。

そのまま、栄介は何くわぬ顔で家にはいり、二階にあがろうとすると、居間で何か読んでいた洋吉が、じろりと眼鏡ごしに栄介を見た。

栄介は黙って二階にあがり、自分の部屋に行き、指輪を机の奥に入れ、そしてすぐに階段を降りてきた。

「何だ、また出て行くのか」

「いま、パンクを直してるんですよ」

「パンク？」

栄介はうなずいて外へ出た。

栄介はジャッキをあげたまま、車庫にはいったり出たりしていたが、頃あいを見てジャッキをはずしにかかった。

隣りに摩理の声がした。

「あら、ごめんなさい。だいぶお待ちになった？」

「そうね、二十分ぐらいかしら」

「じゃ、わたしが出てすぐじゃないの。その辺でよく会わなかったわね」

「わたしたち、そこの道からきたのよ」

「とにかく、さあ、おあがりなさいな。わたし、ちょっとお隣りに頼まれたものを置いてくるわ」

かけてくる摩理の足音を、栄介は楽しんで聞いた。いいところにあの女たちがきてくれたと思った。女たちが、二十分もあの玄関に頑張っていては、摩理の留守にはいりこむことは、誰にもできない。

「あら、パンク?」

門からはいってきた摩理がいった。

「うん、いま、直したところさ」

栄介はトランクにジャッキを入れながらいった。口笛を吹きたい思いだった。

夕食のあと、栄介はすぐ二階にあがっていった。それを見上げて洋吉がいった。

「天気が変るんじゃないのかね。日曜だというのに、栄介がひるからずっと家にいるなんて」

「あら、本当?　お兄さんはおひるからずっといたの」

弘子は食器をかたづける手をとめた。弘子はスーツの仮縫いや、美容師と結婚式の打ち合わせなどがあって、夕方まで外出していたのだ。

「そうだよ、珍しいこともあるものだね」

山畑の警察に挙げられたことが、栄介を神妙にさせているのかと洋吉は思った。不二夫は黙って、夕闇の漂いはじめた庭に目をやった。その何か鬱屈した表情に弘子は気づいていった。

「不二夫兄さんは、今日はどこかに出かけたの」

「いや、一日、本を読んだり、レコードを聞いたりさ」

「優雅な日曜日じゃないの。この頃、そんなふうに日曜を使う人は、いなくなったわ」

弘子はテーブルを拭いて、勝江のそばに行った。勝江が黙々と食器を洗っている。

「ね、お母さん、かつらって、重いのねえ」

勝江の洗った食器を、弘子は拭きはじめた。

「それはそうでしょう。自分のものじゃないものは重いもんですよ」

「なるほどね。自分の髪じゃないから重いのね。じゃ、お母さんのお嫁さんのときは、重くはなかった?」

「重いより、痛かったですよ」

「自分のものって、痛いのねえ」

　笑う弘子に、

「そうですよ、痛いものですよ」

　と、勝江は笑わない。

「お母さんは、お父さんを好きだったの？」

「好きも嫌いもありませんよ、結婚なんて」

「でも、嫌いなら結婚はしなかったわね」

「さあね。家にいるよりは、嫁に行ったほうがいいと思って、結婚する場合もありますからね」

「あら、お母さんは、自分の家がいやだったの。あんなやさしいおばあさんといても」

　祖母である勝江の母を、弘子はあたたかいやさしい人だと、子供心にも感じていた。弘子が八歳の時、祖母は死んだのだ。勝江はちょっと黙った。珍しくきびしい表情だった。

　その時電話のベルが鳴った。不二夫が立って行って受話器をとった。

「真木でございます」

　銀行員らしいいんぎんさで、不二夫は頭をさげながらいった。

「ああ、あなたですか。……はあ、まあ、平々凡々です。……は？　父ですか。少々お待ちください」

不二夫は受話器を手でおさえて、

「お父さん、摩理さんからです」

「なに？　摩理さんから？」

ソファに横になっていた洋吉がむっくりと起きあがった。

「珍しいことも、あるものだね」

受話器をとって、

「やあ、お晩です。……いや、忙しくありません。いま、ソファにねころんでテレビを見ていたところです。……え？　相談でも？　なんですかあらたまって相談なんて。……ええ、かまいません、すぐ伺いましょう。ええ、はいはい、一人ですね。わかりました」

受話器をおくと洋吉は、

「勝江、ちょっと摩理さんのところに行ってくるよ」

「ああ、行っていらっしゃい」

ふっと、洋吉は自分をみつめている不二夫の視線に気づいてたずねた。

「どうした？」

「いや、どうもしません。気をつけて行ってらっしゃい」

「お隣りだよ。気をつけるまでもない」

笑って洋吉は、あいているテラスから下駄をつっかけて出て行った。

不二夫は、勝江と弘子を順に見、何か考えるように腕組みをしてソファにすわった。

「何かしら、お母さん。相談なんて」

「さあね」

何事もない顔で、勝江はふきんをゆすいでいる。

「ねえ、変だと思わない？　不二夫兄さん」

食器を棚に納めながら、弘子はいった。

「まあね」

「いつもの摩理さんなら、家にくるはずよ」

「……そうだろうね」

不二夫はテレビのスイッチを切って、

「もうテラスをしめようか」

とつぶやくようにいった。

「まだいいんじゃないの。今晩はむし暑いもの。さっきお父さん、天気が変るっていってたけれど、二十日盆をすぎてこんなにむし暑いのも珍しいわね」

「蚊がはいらないかな」

「蚊はもういないでしょ」

盆を過ぎて、昨日までずっと涼しかったせいか、蚊も影をひそめている。

「いったい何の……」

弘子はまたいいかけてやめた。洋吉が摩理の家に行ったことが、しきりに気になるのだが、勝江も不二夫もまともに相手にしてくれないので口をつぐんだ。

その弘子をちょっと見て、不二夫は二階にあがっていった。勝江が無表情にいった。

「弘子、弘子の友人代表は決ったの。そろそろ印刷しなければいけませんよ」

結婚披露宴のプログラムを明後日注文することになっていた。が、弘子に祝辞をのべてくれる友人代表が決っていない。中学時代からいちばん仲のよかった石目野百合は離婚したばかりだし、小学校から短大までずっと一緒だった石坂津留は、出産を九月の末に控えている。この二人を除くと、誰に祝辞を述べてもらっても同じような友人が数人いて、決しかねていたのだ。

「誰にしてもらったらいいか、わからないの」

「じゃ、いちばん不幸せに育った人にしてもらいなさい」

「まあ？　いちばん不幸に育った人に？」

「そうですよ。結婚なんて、おめでたいのかおめでたくないのか、死ぬまでわからないことですからね。あまりうきうきすることもないんですよ」

「そうかしら」

「そうですよ。不幸に育った人は、親の結婚がどんなものか、知っていますよ。だから口の先だけでおめでとうなんて、いいやしませんよ」

「なるほど、そういう考え方もあるのねえ」

感心している弘子にはかまわず、

「じゃ、お母さんはちょっと出かけますよ」

「あら、いまからどこへ？」

「町内の婦人部の役員会ですよ」

「ああ、そうだったの。秋の旅行会の打ち合わせ？」

「老人の日の打ち合わせですよ」

「ご苦労さま」

母の勝江は、婦人部の役員会で、どんな発言をするのかと、興味ぶかかった。何事にもあまり感ずることのないように見える母が、長いこと町内の婦人部長に選ばれていることも、ふしぎであった。

「何時頃帰るの」

次の間で着更えはじめた勝江にたずねた。

「九時半過ぎでしょうよ。みんなおしゃべりが楽しいんだから」

「お母さんもおしゃべりするの」

「まさか。話すことなんか、ありませんよ」

弘子はぼんやりと、勝江の着更える様子を見ていた。サマーウールの紺地の胸元をきちっと合わせてすばやく腰ひもでゆわえ、伊達巻をくるくると巻いて、半幅帯を二巻きにし、きゅっと結ぶ。と思うと、あっというまに帯じめをして、もう鏡に背を向けて後ろ姿をうつしている、スーツを着るような手軽さだが、勝江の和服の着つけは、メリハリがきいて鮮やかだった。

「じゃ、行ってきますよ」

勝江が出て行くと、弘子は何かほっとした。洋吉が隣りに行ったことも、摩理の気まぐれで呼ばれたように思われて、たいした心配もいらぬような気がした。弘子は、今野と自分の枕カバーに刺しゅうをしようと、二階にあがった。

弘子が二階にあがって二十分ほどたってから、洋吉が帰ってきた。電灯の下に洋吉はいくぶん青ざめ、緊張した顔をしていた。階下には誰の姿もない。

「勝江、勝江」

　返事がないことで、洋吉は勝江が婦人部の役員会に行くといっていたことに気づいた。

洋吉は階段の下まで行き、

「栄介！」

　と、大きな声で呼んだ。曾つて、洋吉はこんな大きな声を出したことはない。

「栄介、ちょっと降りてきなさい」

「何です？　そんなに大声を出さなくても、聞えますよ」

　栄介の声がした。洋吉はテラスのあいているのに気づき、あわてて閉めた。他に聞えてはならないのだ。

「お帰りなさい」

　階段を降りてきたのは弘子だった。珍しく険しい洋吉の表情に、弘子はちょっとぎくりとしたが、

「摩理さん、何の相談ごとだったの」

「お前には関係のないことだ。二階にあがっていなさい」

　つとめて平静に洋吉はいった。

「栄介兄さんにご用なの」

「そうだよ。不二夫にも降りてこないようにいいなさい」

「重大な話なのね」

不安そうな弘子に、

「何も心配することはないよ、お前は」

と、洋吉はかすかに笑ってみせた。

「そうだよ、おやじさんのいうとおり、弘子は何も心配することはない」

足音も乱暴に、栄介が階段を降りてきた。その栄介を、一瞬睨みつけるように洋吉は見た。

弘子はしかたなく、そっと二階にあがって行った。

「おやじさん、何ですか。まあ、とにかくすわりませんか」

はじめから、栄介は小馬鹿にしたようなうすら笑いを浮かべて、ソファに腰をおろした。

むっとしたが、洋吉も腰をおろしてたずねた。

「お前は今日、一時から一時半まで、どこにいたのかね」

「どこにいたか、いう必要でも起きたんですか」

「ああ、起きたんだよ」

「どういうことです?」

「まあ、どういうことでもいい。一時から一時半まで、どこにいたのかね」

「隣りに呼ばれて行って、いったい何を聞いてきたんです？」

余裕綽々《しゃくしゃく》の態度だった。

「何を聞いてきたか、いまにわかる。とにかく一時から……」

洋吉の言葉をうばって、

「一時半頃までは、車庫の前にいましたよ」

「何をしていたのかね」

「洗車したり、パンクを直したり……ほら、家の中にはいってきたら、お父さんは寝ころんで、新聞なんか読んでいたじゃありませんか。あの頃でしょう」

「ああ、そういえば、パンクを直しているとかいっていたな」

「そうですよ。それがどうかしましたか」

「一度も車庫の前を離れなかったのかね」

「離れましたよ。いまいったとおり、家の中にはいって、二階にあがったじゃありませんか」

「そうか」

じっと栄介の顔を見てから、

「それでわしも安心した」

と、洋吉は溜息をついた。

「いったい、何の用で、隣りに呼ばれたんです?」

栄介はにやにやと笑い、浴衣の袂からタバコを出して口にくわえた。

「うん、ここだけの話だがね。実は摩理さんのあのダイヤの指輪が、なくなったらしい」

「ふーん」

タバコに火をつけて、

「ダイヤの指輪だけですか、なくなったのは」

「そうだよ」

「で、それを盗んだのは、この俺さまだとでも彼女はいったんですか」

「まさか、そうはいわない」

「いわないのに、おやじさん、何であんな大声でぼくを呼んだのかねえ」

「お前に相談があるからだよ」

「相談をするために、どうして、一時から一時半までどこにいたかを聞かなきゃならないんです?」

「ま、話を聞きなさい。摩理さんは、今日買物籠をさげて、この家に寄ったそうだね」

「ああ、寄りましたよ」

「その時が、一時の鳴るのを聞いて、すぐに出てきた時刻だそうだよ。それからマーケットに行き、またここに寄って、自分の家にはいったら、一時三十五分だったそうだ」

「その三十分あまりの間に、ダイヤを盗まれたというわけ？」

「いや、そうじゃない。買物から帰ってきたら、何でも友人が二人玄関前に待っていて、二十分も待ったというんだが、お前それに気づいていたかい」

「友だちって、女でしょう？　二、三人の声がしてましたよ。立木の陰で姿は見えなかったけれど」

「そうか。それでだね、家に友人をいれて話しているうちに、あのダイヤの指輪を見せてくれといわれて、出してみようと思ったら、なかったそうだ」

「じゃ、どこかに置き忘れたんじゃないかなあ」

「いや、ところが、外出する前にちょっとダイヤの指輪をはめてみて、すぐにケースにいれてしまったそうだよ。だから、ほんの三十分の間に失くなったというんだね」

「じゃあ、その二十分待ってたとかいう二人の友人があやしいんじゃないの」

栄介は楽しげな顔をした。

「ああ、それでね、摩理さんは警察に盗難届を出そうと思うんだが、友人たちが盗んだものなら、何とか警察などには届けずに、返してもらう方法はないかと、こういうんだがね」

「友人だろうと、何だろうと、警察に届けたほうが、早いんじゃないの」

「そうかね。警察に届けたほうが、早いと思うかね」

「早いだろうよ」

「それで、お前に聞くんだが、お前は車庫のところにいて、隣りに女の客がくる前に、誰か隣りにきた様子はなかったかね」

「さあてね。きたかもしれないが、何せ俺は隣りの家の番人じゃないからね」

「そこを思い出してほしいんだよ。男か誰か、塀越しに見えなかったかねえ」

　洋吉は探るように栄介の顔の動きを見つめた。栄介は不快そうに視線をはずし、

「とにかく、その女たちしか気がつかなかったな、俺は。あやしいのは、その女たちだよ」

　と、ぞんざいにいった。洋吉はいっそう自分の言葉をおさえるようにいった。

「そうか。栄介、摩理さんはね、友人が盗んだものなら、事を穏便にすましたいというんだ。警察には届けないといっているんだ。それが、お前にはわからないのかね」

「いやだね、おやじさん。なんだか変ないいかただよ。まるで、俺が盗んだようないいかたじゃないか」

「そうかね。そう聞えたかね。わたしはね、摩理さんが、友人の盗みを騒ぎたてたくないといっているから、どうやったらその友人がおとなしくもとに返すかを、お前に相談しているんだ」

「そんなことを、俺に相談したって、しかたがないだろ」

「まあ、しかたがないといえばしかたがないかもしれん。しかし、お父さんとしては、やはりお前に相談するよりしかたがないんだ。この気持がわからんかね」

洋吉のこめかみの青筋が、ひくひくと動いた。

「何となく奥歯にもののはさまったいい方だね」

「しかしだね。いいかい、お父さんは摩理さんにいったんだ。明日のひるまでに戻してくれれば、いっさい何もなかったことにすると、電話か何かで、その盗んだ友人に伝えなさいとね。そしたら摩理さんは、誰かを使ってでもそうしてほしいといってね……」

「どっちにしても、俺には関係のない退屈な話だよ」

栄介はタバコの煙を輪にして吹きあげた。

「退屈？　そんなに退屈か。じゃ、退屈じゃない話をしよう。栄介、摩理さんの画室の窓には、鍵がかかっていなかった。そしてだ、窓の下に男物の靴跡がくっきり残っていたよ」

「…………」

栄介の顔色が変った。

さすがに顔色を変えた栄介を、じっと見据えながら洋吉は問いつめた。

「栄介！　それが誰の靴あとか、お前にはわかるだろう」

栄介は片手をふところにいれたまま、首をソファの背にもたせて天井を見あげた。その栄介の目がしきりにまばたく。明らかに答えに窮した表情に見えた。

「しかもな、栄介。足跡はまだ他にも、はっきりと残っていたよ」

「……………」

「まぬけな泥棒もいたものだ。どうやらその男は、ブロックの塀を乗り越えて逃げたらしい。飛び降りたところに、はっきりと同じ靴あとが残っているんだ」

「……………」

「その飛び降りたところは、つまりこの家の庭なのだ。摩理さんに懐中電灯で示されて、まったく恥ずかしくて、顔から火が出たぞ」

栄介は無気味なほどに沈黙している。まだカーテンをひいていないテラスの戸に洋吉は目をやった。ふてぶてしく天井を見つめている栄介と、前こごみになって話している自分の姿が、ガラスに映っている。その二人の姿が、洋吉にはなんとも情けなく思われた。

「え？　栄介、あれはいったい、誰の足跡なんだ？」

「……………」

「答えられないのか？　あれが誰の足跡か、お前には答えられないのか。なぜ答えられないんだ？」

次第に激してくる洋吉に、栄介は天井をみたまま、ふいに大声で笑った。

「なんだ、栄介！　これが笑えることなのか」

　栄介は再び高笑いした。

「何を笑うんだ。なぜ笑うんだお前は」

「なぜってね、おやじさん。あんまり俺の筋書どおりに事が運んでくれるからですよ」

　いつもの、人を小馬鹿にした語調で、

「まったく、こうこなくては、話になりませんからねえ」

「話にならない？　何が話にならないんだ」

「おやじさん、俺はガキじゃありませんよ。ちゃんと計算して、足跡を残してきたんですよ」

「栄介、お前はなんという奴なんだ。人さまのものに手をつけて、なんとも思わないのか。さ、ダイヤの指輪をどこにおいた。出しなさい！　ここに」

「おやじさん、何もそうガタガタ騒ぐことはないでしょう。たしかに、ダイヤモンドは黙っていただきましたよ」

「栄介！　お前という奴は……よくも、ぬけぬけと……。は、恥ずかしくないのか、それで」

「恥ずかしい？　さあてね、そんな言葉は、俺の辞書にはなかったな。あいにくなことに」

　にやにや笑って、栄介はタバコを口にくわえた。

「この恥知らずが！　とにかく、指輪を持ってきなさい！」

洋吉は立ちあがった。

「指輪を持ってこい？　ご冗談でしょう。あれは、ぼくのものですよ」

「よけいなことをいわずに、さっさと持ってきなさい」

「べつだんよけいなことなどいってはいませんよ。盗んだものであろうとなかろうと、ぼくが持ってるかぎりはぼくのものです。せっかく苦心して盗んだものを、そうあっさりと返すわけにはいきませんよ」

栄介は、愉快そうにタバコの煙を洋吉の顔に吐きかけた。

「栄介、返さなければ、お前本当に泥棒になるんだぞ」

「そうです」

「そうですって、お前、警察に突き出されてもかまわないのか」

「ちっともかまいませんよ、ぼくは」

あごをなでながら、けろりとした顔だ。その栄介を、洋吉はじっとみつめた。

洋吉は再び腰をおろすと、思いなおしたように語調を変えた。

「なあ、栄介。お前も馬鹿じゃないはずだ。人の物を盗むことが、悪いことか、いいことかぐらいわかるだろう」

「ああ、わかっていますよ」

「じゃ、悪いことはしないことだ」

「そうですね。ぼくも悪いことはしたくないんですよ」

「栄介、本気で聞きなさい。いいかね。お父さんは仮にも中学校長だよ。その息子が、大学を出、社会人として働いていながら、隣家にしのびこんでダイヤの指輪を盗んだと知れたら、いったい世間はなんという」

「さあ、なんといいますかね。校長でもそんな教育しかできなかったのかというかもしれませんし、親がかわいそうだというかもしれませんし、ま、いずれにしても名誉なことじゃござんせんね」

へらへらと栄介は笑った。

「栄介！　お前という奴は」

「情けない奴ですか」

「ふざけるんじゃない。とにかく、指輪を返すんだ」

「誰がです」

「誰がとはなんだ、お前じゃないか」

「血のめぐりの悪いおやじだなあ。俺は返さないって、はっきりいったじゃないですか。返したきゃ、おやじさんが返せばいい」

「何？　わたしが？」

「そうですよ。あの指輪は、仮に五百万の品物でも、売るとなりゃあ半値。半値でも二百五十万にはなるんですからね。誰がみすみす返すものですか。もっとも、あんたが買ってくれるとなれば、売ってもいいですがね」

「栄介、お前……」

洋吉の唇がふるえた。

「おやじさん。いやなら買わなくたっていいんです。買ってくれる古物商を、俺だって知らないわけじゃない」

「………」

洋吉は栄介を睨みつけた。最初からこうもくろんでの犯行かどうかはともかく、いま、栄介は、父親の自分を明らかに恐喝しているのだ。

摩理も自分を警察には突き出すまい。まず栄介はそう見越しているのだ。そして、指輪をネタに、自分から金を引き出そうとしているのだ。金を出すまで、栄介は決して指輪を差し出すまい。栄介はそんな人間なのだ。

「じゃ、わたしが買おう」

「ほう、いくらで買ってくれます？」

「十万でどうだ」

「十万？　笑わさないでください。古物商でも二百万で買ってくれるはずですよ」

「よし、思いきって二百万出そう。二百万でお父さんに渡さないか」

　栄介は腕組みをして、洋吉の顔を眺めていたが、

「待てよ。二百万円なら古物商に売ったほうがよさそうだ」

　とつぶやいた。

「どちらに売っても、同じことじゃないか」

「と、思うのが素人のあさましさというやつさ。いいですか、おやじさん。古物商とぼくなら、これは純粋の品物の取引だ。二百万でもいいだろうさ。しかしね、おやじさんとの場合は、必ずしも品物だけの売買じゃない。いや、むしろ品物は問題じゃない」

「じゃ、何が問題だというんだ」

「おやじさんのメンツさ。そうでしょう？　あんたの本音は、指輪なんかどうでもいい。自分のメンツが問題なんでしょう。中学校長のメンツが。そのメンツ料はいったいいくらです？」

「…………」

「古物商が二百万で買うものを、メンツの大事なあんたが、同じ値段で買うという手はない。

倍の四百万ではどうです?」

「栄介!」

　さすがの洋吉もたまりかねた。

「大きな声を出してもいいんですか。静かな夜だ。隣り近所に聞えますよ」

「栄介!」

「四百万じゃ安すぎるな。六百万、どうです? 六百万で手をうちましょう」

「お前は親をゆする気か?」

　洋吉の顔色は蒼白だった。

「ゆする? どういたしまして。ゆするのなら、一千万とふっかけますよ。一千万で校長のメンツが保たれれば、安いものだ。しかもおやじさんはじいさん譲りの金を五、六千万は持っている。べつだんおやじさんの苦労してつくった金じゃない。なんもこんな真似をしなくたって、長男の俺に一千万ぐらいくれたって、罰も当たらない。ね、そうじゃありませんか」

「それとこれとはちがう。お前は親からゆすり取ろうとしているじゃないか」

「じゃあね、おやじさん。あんたにわたしも聞きたいことがある。あんた、不二夫名義で、土地を買ったというのは本当ですか」

「………」

「答えられないところをみると、どうやら本当だな。弘子は弘子で、嫁入り支度と称して、いろいろゴタゴタと買いこんだようだし……。そのくせ、長男の俺には車一つ買ってくれようとしない」

「………」

「こうなりゃ、ゆすりといわれようが、たかりといわれようが、俺は俺なりに、金を頂戴する手を考えなきゃならない。しかたがないでしょう」

ぶるぶると洋吉の手がふるえた。いいたいことが、どっとのどもとまで押し寄せているが、憤りが先に立って言葉にならない。

「あーあ、むし暑い晩だ」

大きく伸びをした栄介は、立ちあがってテラスの戸を開け放った。なまあたたかい風がはいってきた。

栄介はテラスとの境の敷居の上に立って両腕を組み、

「え、おやじさん、かわいそうなのは、この子でございさ。一千万といいたいところを六百万だ。まさか、いやとはいうまいね」

「栄介！」

「なんです？」

敷居の上に突ったったまま、栄介は洋吉を横柄に見おろした。

「お前、いま、わたしが不二夫に土地を買ってやったり、弘子の嫁入りに金をかけたから、その腹いせに、ゆすりもたかりもしようといったが……」

「何も腹いせとはいいませんよ」

洋吉も立ちあがって、いらいらと床の上を歩きながら、

「いわなくとも、つまりはその気だろう。とにかく、お前はおやじが金をくれないから、摩理さんの指輪を盗んで、それをタネにたかろうとしたわけだ」

「まあ、その通りですよ」

「じゃ聞くがね。いままで、これだけはいいたくなかったが、お前がわたしをゆすったのは、今日がはじめてかね」

「ああ、はじめてですよ」

「嘘をいえ！　山畑とかいう友だちをそそのかせて、校長室まで押しかけてよこさせたのは、いったいどこのどいつなんだ⁉」

こめかみに青筋を浮かべて、洋吉は栄介に詰めよった。

「なーんだ、知ってたのか、おやじさん」

栄介は腕組みをしたまま、せせら笑った。

「知っていたのかとはなんだ！」

いうが早いか洋吉は栄介の胸をぐいと突いた。

「あぁっ！」

不意をくらった栄介は、あっけないほどもろくのけぞったかと思うと、悲鳴をあげてテラスに倒れた。その瞬間、

「ガッッ」

と異様な音がし、栄介の体は動かなくなった。

一瞬のできごとだった。

「栄介！　どうした！」

はっと洋吉はテラスにとびだした。室内から光に鈍く照らされた栄介の顔が、なおもせせら笑っているようだった。

「起きろ、栄介！」

洋吉は再び叫んだ。

「どうしたんです？　お父さん」

不二夫と弘子が、階段を駆け降りてきた。

「ああ、不二夫、栄介が……」

テラスに出た不二夫は片ひざをついて、栄介の顔をのぞきこみ、

「お兄さん」

ゆすったが、首がぐらりと頼りなく動いただけだった。弘子はそれを茫然と眺めていた。

(お、俺は……俺は息子を殺してしまった)

洋吉の顔がくしゃくしゃと歪んだ。


弘子は救急車のサイレンが次第に近づいてくるのを、聞いていた。

たしかに、ついそこまで来ているのに、なかなか迎えにこない。そのうちにサイレンの音が遠ざかった。と思うと、すぐ近くに聞える。

(いったい、何が起ったのだろう)

自分が怪我をしている様子でもない。栄介も不二夫も、親たちと一緒に黙りこくってすわっている。

(ああ、摩理さんが危篤なんだわ)

そう思った時、ノックの音がした。ハッと目を開けると、看護婦が午後の血圧測定のため、栄介のベッドに近よってきたところだった。

事件以来、すでに一週間は過ぎていた。栄介は依然として昏睡状態で、生命危篤であった。

後頭部を思いきりコンクリートに打ちつけたのだ。

打ちどころが悪かった。そのうえ、あの晩も酒がはいっていた。飲酒した場合の脳出血は、なかなかとまらないらしかった。

弘子は疲れた顔を、昏睡している栄介に向けた。酸素吸入をしている青白い栄介の顔を、弘子はじっとみつめた。

「疲れただろう」

傍らで洋吉がいった。

「お父さんこそ、お疲れでしょ。今日は家に帰ってお休みになったら?」

「うん」

洋吉は、血圧を測っている看護婦の手もとに、憔悴しきった視線を、ぼんやりと投げかけた。

「上が八〇で、下が五〇です。お大事に」

「どうもありがとう」

看護婦が出て行った。洋吉と弘子はなんとなく顔を見合わせた。

「血圧が八〇というのは、いいのかね」

「まあいいほうじゃないの。いちじは四〇までさがったでしょう」

「いったい助かるだろうかね」

「助かるでしょうって、お医者さんがいっていらっしゃるから、大丈夫よ」

「しかし、助かっても廃人かもしれないと、医者はいっていたね」

　治っても後遺症が残って、半身不随になるかもしれないという医師の診断であった。

「助かってほしい？　お父さん」

「そりゃ、お前、当りまえじゃないか」

　洋吉には、あの無気味な「ガツッ」という、コンクリートに頭を打った音が耳について離れないのだ。

　洋吉が栄介に殺意を抱いたことは、一度や二度ではなかった。ある時はひと晩じゅう、いかにして栄介を殺すべきかと考えて、眠られないこともあった。

　が、あの瞬間は、洋吉には決して殺意はなかった。激しく憤ってはいたが、殺すことまでは考えていなかった。

　ただ、あまりの栄介の態度に立腹して、思わずその胸を突いただけであった。まさかそのひと突きで、栄介がこんなことになろうとは、夢にも思わぬことであった。栄介の大きな体が、ぐらりと揺れた瞬間の洋吉の驚き、それは洋吉になんら殺意のなかった証拠でもあった。

栄介はあの時、敷居の上に立っていた。敷居の向うは外である。その外に、栄介のかかとが大きくはみ出していた。それが洋吉のひと突きで容易に重心のくずれた原因だった。しかも栄介は腕組みをしていた。腕組みをしていなければ、ああまで頭を強く打ちつけることはなかったであろう。

洋吉は、見舞客に怪我の事情をたずねられるたびに、不安な心になる。あの夜、真っ先に医者を呼ぶことに気づいたのは、弘子だった。

「救急車を呼ばなくては……」

弘子がそういい、不二夫が電話に立とうとした時、洋吉はあわてた。

「待て、ちょっと待て」

「どうしてです?」

「どうしてって、お前、医者に聞かれたら、いったいなんと答えたらいいんだ」

「………」

「栄介はこの敷居に突っ立っていたんだ。あんまりひとを小馬鹿にするんで、胸を突いた。そしたら、あっけなくうしろにひっくり返ったんだ」

洋吉は小声で不二夫にいった。

状況を聞いた不二夫は、即座に栄介が足を踏みちがえて転倒したことにしようといった。

そして、

「兄貴は、人に胸をおされたくらいで、こんなことになる人間じゃありませんよ」

と、かすかに笑った。

その時の、あまりに冷静だった不二夫の様子を思い出すと、洋吉は無気味な感じさえする。ふだんは口数も少なく、ひっそりと片隅で生きているような不二夫が、何かはじめからこうなることを見とおしていたような、そんな無気味さでもあった。

が、おかげで医師にも疑われずにすんだ。しかし、洋吉の右手は確かに栄介の分厚い胸を突いたのだ。洋吉はベッドの上の栄介に視線をもどした。

（このままですむか……）

洋吉の胸はまた騒いだ。

いま、弘子に、栄介が助かってほしいかと洋吉は尋ねられた。

「そりゃ、お前、当りまえじゃないか」

と洋吉は答えた。が、栄介を見守りながら、洋吉は必ずしも栄介が助かることを望んではいない。死をこそ願わなくても、昏睡から醒めることは恐れていた。栄介が昏睡から醒めることは、即ち洋吉自身の身の破滅を意味していた。

〈中学校長、殺人未遂！〉

〈教育者、息子を半殺しに！〉

新聞記事の見出しが目に見えるようで、洋吉は夜もろくに眠れなかった。

(しかし、殺すつもりではなかったのだ)

ちょっと胸をついただけで、あっけなく倒れた栄介が、いまは洋吉には憎くもあった。

あのぐらいのことで、何も危篤になるほどの怪我をすることはないじゃないかと、詰りたかった。

(どこまで、親不孝をすれば気がすむのか)

栄介に脅かされつづけているような気がする。

最初の驚きが去ると、栄介へのすまなさや悔いが、愚痴や憎しみに変っていた。

「そろそろお母さんのくる頃ね」

弘子は時計を見た。昨日の土曜の午後から今日にかけて、母に代って看病したが、明日は出勤しなければならない。看病といっても、栄介は痛みを訴えるわけでも、熱があるわけでもない。寝返りひとつうたず、ただ眠っているだけだ。べつだん病人にしてやることはなかった。

点滴注射の液がなくなれば、詰所の看護婦に連絡するのと、ビニールの袋にたまる尿をとりかえるくらいで、見舞客に対する応接のほうが忙しかった。それでいて弘子は、ひどく疲れていた。精神的なショックが激しかったからであろうか。ひるに夜に、弘子は救急車のサイレンの音が、絶えず耳に聞えるようであった。栄介を運び去ったサイレンの音なのだ。

「トマトジュースを作ってきましたよ」

風呂敷包みを持った勝江がはいってきた。勝江は格別疲れた色もない。

「ああ、それはありがたい」

洋吉は壁にもたれたまま、のろのろと勝江を見た。

「何ですねえ、くたびれた顔をして。ジュースを飲んだら、帰って二人ともお休みなさい」

勝江は栄介の顔をのぞきこみ、

「変りがないようね」

と、弘子をふり返った。

「ええ、血圧が八〇と五〇ですって」

風呂敷包みを受けとって、ジュースを取り出していた弘子が答えた。

「ああ、そうそう、いま出てくる時、今野さんから電話がきていましたよ」

「あら、そう」

「病院にいるといったら、じゃすぐに病院に行きますって」

「今野君にも、すっかり気の毒をかけたなあ」

九月に決っていた結婚は、今野が延期を申し出てくれたのだ。案内状を発送したあとの変更は、大変なことであった。が、今野は、この際栄介の看病に力を注ぐのは当然のことで、危篤状態の怪我人をかかえたままでは、真木家の精神的肉体的負担が過重であろうと思いやってくれたのである。

「結婚はいつでもできます。しかし、病人の看病は、いまをおいてはできませんからね」

温かい今野の言葉を聞きながら弘子も洋吉も、今野を正視できない思いだった。弘子は事の真相を今野に告げる勇気はなかった。

「今野さんがいい人で、本当に助かりましたよ。栄介の身に万一のことがあれば、結婚式も大変なことになりますからね」

誰もが思っていることを勝江がいった。栄介はいわば、いつ死ぬかわからぬ状態なのだ。結婚式と葬式がかちあわないものでもない。

「じゃ、わたしは一足先に帰らせてもらおうか」

「どうぞ。わたし今野さんを待ってるわ」

洋吉は勝江を避けるように、早々と帰って行った。

「まるで、十も年をとりましたよ、お父さんは」

勝江は笑った。勝江は、栄介の怪我を単なる事故だと思っているせいか、家中で誰よりも落ちついている。

「今年は栄介の厄年ですね。大浜で溺れたり、頭をうったり」

「そうね。でもお母さん、今度はお兄さん危ないいんじゃないかしら」

「仕方ありませんよ、もって生まれた寿命ですからね」

「でも、二十代で……かわいそうだわ」

「……」

「かわいそうだと思わない？」

「それは、かわいそうだといえばかわいそうだけれど……。長生きしても、憎まれるだけの人間だろうしね、栄介は」

「まあ」

母親らしからぬ言葉だと弘子は母を見た。

「お母さんはね……栄介を見ると、いやな人を思い出してね」

「え？　いやな人？」

「そう、いやな人ですよ。こんな話、お父さんにも誰にも話したことはありませんけれどね、あんたもお嫁に行くことだし、一度は話しておいてもいいと思ってねえ」

珍しく勝江は、しみじみとした語調になった。

「お兄さんを思い出させるいやな人って、お母さんいったい誰のこと?」

勝江は黙って弘子を見た。が、やがて視線をはずし、

「わたしの父ですよ」

と、ぽつりといった。

「あら! おじいさんのこと?」

「あんた方がおじいさんと思っている人は、わたしの父じゃありませんよ。わたしの本当の父は、何人も女をもてあそんだ男でね。母も、四十にもなってその男に迷ってね、それで生まれたのがこのわたしというわけよ。栄介がその男にそっくりでねえ」

「まあ! でもお母さん、誰からそんな話……」

「母の姉が写真を見せて教えてくれたのよ。だから、わたしは、母も大きらいだった。母が死ぬまで、いや、死んでもきらいでね」

「………」

思いもよらぬ話だった。信じられない気がした。が、いわれてみると納得のいくふしもあった。いつか勝江は、家にいるのがいやで結婚したといったことがあった。また、栄介はいったい誰に似たのかと思っていた疑問も、はじめて解けたような気がした。それにしても、

自分たちの母方の祖父が、こともあろうに兄の栄介そっくりであったとは。

弘子は大きくため息をついた。

「じゃ、その人は今は……」

「とうに死んでいます。どこかの女の家で、ガス管がはずれて死んでいたとか……」

不義の子として生まれたことを知った勝江が、干からびた性格に育ったことも、わかるような気がした。

「まちがっても、おばあさんのような生き方をしてはいけませんよ」

弘子は、いまはじめて、勝江から母親らしい言葉を聞いたような気がした。


九月に入って、この二、三日、俄かに肌寒い日が続いた。

洋吉は、学校の帰りには、必ず病院に寄った。一時は一睡もしない日があった洋吉は、僅かこの十日ほどの間に、一挙に五つ六つも老けこんだ。

その日洋吉は、弘子のためにいなりずしの折を下げて、病室に入って来た。勝江が風邪を引き、弘子が休暇をとって朝から附き添っていた。

「あ、お帰りなさい、お父さん」

読みかけていたチエホフの『かわいい女』を閉じた弘子は、立ち上がって床頭台のほうに身をよせた。床頭台に飾られている赤と黄のダリヤの花が、かすかに揺れた。

「変りはないかね」

栄介は昨日、二度目の脳の手術を受けた。細いビニール管を通して、内出血で鬱血していた血が、ベッドの下の瓶に少したまっている。

「変りはないわ」

弘子は答えて、洋吉と二人で栄介の顔をさしのぞいた。酸素吸入のゴム管が、鼻孔にテープで固定されていて、少し顔がむくんでいる。が、血色は悪くなかった。

「そうか、変りないか」

そう洋吉がつぶやくようにいった時だった。それまで、化石のように眠りつづけていた栄介が、ふいにぽっかり目を開けた。その途端、洋吉はぎょっとしたように、二、三歩退いた。

「まあ！　お兄さん！　気がついたの⁉」

聞えるのか聞えないのか、栄介は静かに目をつむった。

「あら、気がついたのじゃなかったのかしら」

弘子は洋吉をふり返った。そしてはっとした。恐怖に歪んだ顔に手をやって、壁にもたれかかっている。そのまますずるずると崩れそうな、不安定な姿勢だった。

「お父さん！」

どうなさったのという言葉を、弘子はのみこんだ。見てはならぬものを見た思いがした。

弘子はさりげなく洋吉にいった。

「お父さん、お兄さんは気がついたのではないのね。ただ目をあけただけなのね」

その言葉に、洋吉はほっとしたように、

「そうか、じゃ、意識がもどったわけではないんだな」

と、再び栄介を眺めた。

「だんだんよくはなるでしょうね」

「よくなるのか」

「ええ、脳にたまっていた血が出たでしょう。だから……」

「じゃ、そのうちに、意識ももどるわけだね」

「多分ね、でも当分はわからないわね」

「そうか、当分はなあ……」

大きく吐息をつき、洋吉はがっくりと床のござに腰をおろして、壁に頭をもたせた。その洋吉を、弘子は冷たい目で眺めた。

弘子自身、栄介の回復を必ずしも望んでいない。といって、無論その死をねがっている
わけではない。だが、栄介のような人間は、眠りから醒めないほうが、世のためだという

思いが弘子にはあった。だから、洋吉の気持は、わかりすぎるほど弘子にはわかるのだ。わかっていながら、父の明らさまな表情に、弘子はいいようのない嫌悪を感じた。

(これが、わたしの父の本当の姿なのだ)

その弘子に洋吉は気づいたのか、

「弘子、お父さんはどうしたらいいのかね」

「どうしたらって?」

「栄介には治ってほしい。ぜひ治ってもらわなくては、お父さんは困る」

「…………」

「……しかし、栄介は、治ったらわたしを許してはおくまいね」

「そんなことはないと思うわ。お兄さんのほうが悪いんですもの」

「いや、栄介という奴は、何をするかわからない男だ」

洋吉は急に声を低めて栄介を見、

「恐らく告発するにちがいないと、お父さんは思うよ」

「まさか。大丈夫よ、お父さん」

窓から夕日がさして、洋吉の顔を照らした。弱々しいその洋吉の顔を見ると、さすがに弘子はあわれにもなった。

「いや、きっと告発する。こいつはそういう男だ。親を刑務所に入れることなど、朝飯前の男だからな」

弘子も、内心それを恐れていた。栄介はおとなしく引込んでいる人間ではない。自分たちの想像を超えた冷酷なことをする人間なのだ。もし洋吉が新聞沙汰にでもなれば、自分も今野との結婚を辞退しなければならないだろう。

「お兄さんだって、そんなことはしないわ。そんなことをしたら、お兄さん自身、社会生活をしていけないもの」

栄介自身が殺人未遂の父を持つことになるのだ。弘子は自分の不安を打ち消すようにいった。

「うむ、それもそうだ。しかし……」

世間態を誰よりも憚る洋吉の気性を、栄介は見ぬいている。この事件をネタに、栄介は一文残らず洋吉から取り上げるだろう。

「弘子、わしは、栄介をこんな目に会わすつもりは、これっぽっちもなかったのだ」

事件以来、幾度もいったことを、洋吉は今またいった。

「そんなこと、いうまでもないわ、お父さん。みんながわかっていることですもの」

弘子は慰めるようにいった。曾つて洋吉が、幾度も栄介に殺意を抱いたことなど、無論弘子は知らない。

翌日も、翌々日も、栄介は目を開けるようになった。が、

「わかりますか」

と、回診の医師が尋ねても、反応はなかった。ただ、今まで動かなかった手足が少し動くようになった。

栄介が、目を開けるようになって、五日ほど過ぎた。

「今日はどうだね」

毎日同じ言葉で、洋吉は勝江に尋ねる。

「同じですよ」

勝江もまた、気のない返事をくり返して、今日も編物の手を休めない。

「そうか、同じか。まだ何もいわないか」

少しがっかりしたような口調だが、表情は正直にほっとしていた。

「まだ何もいいはしませんよ。目をあけても、一分ほどぼんやり上を見ているだけですよ」

「そうか。じゃ、意識はもどっていないわけかね」

「あなたのように、そんなに心配なさっても、そう簡単には、もとに返りませんよ」

勝江は夫と息子の間に何が起ったか、まだわかってはいない。その勝江を、洋吉はじっ

と見つめた。が、やがて、

「なあ、勝江」

　洋吉は、どっかとござの上にあぐらをかいた。

「何ですよ」

「実はな」

「実は、何です」

「何です、何ですと、どうもお前は話のしづらい奴だ」

　洋吉は苦笑した。

「じゃ、だまっていましょう」

　勝江は小さくあくびをした。洋吉はほーっと肩で息をした。

「実はだな、勝江。いいそびれたことだが、栄介は一人でけがをしたんじゃないんだ」

　勝江は黙って洋吉を見た。

　洋吉は、あの夜のことを、ぽつりぽつりといいづらそうに語った。勝江はうなずきもせず、編針を動かしながら聞いていた。ダイヤの指輪を盗んだといった時だけ、勝江は一瞬洋吉の顔を見た。

「……まあ、ざっとこういうわけでな。わしも辛いところなんだ」

勝江は手を伸ばして、栄介の額のうっすらとかいた汗を手拭いでふいた。黙っている勝江に、洋吉は不安そうにいった。

「お前、どうして黙っているんだね」

「何ていったらいいんですか?」

勝江の語調は何の昂りもなく尋常だった。

「……何ていったらいいとは挨拶だな」

「そんな話、聞かなかったことにしておくのが一番ですよ。あなたにしても、栄介にしても、災難であることは、同じですからね。今更、何をいっても仕方がないでしょう」

勝江は、魔法瓶の茶を、茶碗に注いで洋吉の前におき、

「羊かんがありますよ、出しましょうか」

と聞いた。

「ああ、もらおうか」

洋吉は答えながら、自分より勝江は人間が上だと思った。

「しかしなあ」

「しかし、何です?」

洋吉は、栄介がどう出るか不安だと勝江にいいたかったが、そういうのも憚られた。一応、

勝江が事情さえのみこんでいてくれれば、やがて栄介の口からすべてを聞かされたとしても、あまり波立つことはない。いや、勝江という女は、栄介の口から直接聞いても、さほど驚く人間ではないと、洋吉は思った。異常なほどに、何ごとにも動揺しない勝江は、ある時は頼母しいが、それだけに、不安を打ち明ける相手ではなかった。一笑に附されるだけのような気がした。

「疲れたな」

洋吉は、出された羊かんを口に入れた。秘めていたことを話して、俄かに洋吉は疲れた。

やがて、洋吉は立ち上った。疲れたせいか、少し足がよろけた。

「毎日、見舞わなくても、いいですよ」

「うん、しかし……」

洋吉は栄介を見おろした。

「どうせ見舞に来ても、栄介はわからないんですからね」

「うん、わかるまいがね」

と、その時、栄介が、静かに目を開けた。洋吉ははっとしたが、栄介に顔を近づけた。

「わかるか？　栄介」

声をかけた途端、洋吉の胸がとどろいた。栄介がにやっと笑って洋吉を見たのだ。

「わかるよ」

　ゆっくりと栄介は答えた。

「わかる!?……」

　洋吉の顔から血が引いた。再び栄介はにやっと笑った。その栄介を、勝江はじっと見守った。

　栄介は洋吉から勝江に視線を移した。勝江は何もいわない。栄介は三度洋吉を見、そのまま目をつむった。

　その間、洋吉は息をつめるように、栄介を凝視していた。栄介が目をつむっても、洋吉はまだ凝然と立ちすくんでいた。勝江が音を立てて再びお茶をいれた。

「あなた、もう一杯いかがです?」

「…………」

　洋吉は頭をふって、ドアのノブに手をかけた。汗ばんだ手にノブの感触が妙になまあたたかった。

　帰るともいわずに、洋吉は廊下に出た。勝江も洋吉に何もいわなかった。

　その日の夕食時、洋吉はむっつりとして、箸を動かしていた。事件以来、洋吉はともすれば、ものもいわずに考えこんでいる。そんな洋吉に、不二夫も弘子も次第に馴れてきた。不二夫と弘子は、さっきからさしさわりのない音楽の話をしている。

「ぼくの音楽の先生はね。学生時代、レコードは一枚も買わなかったそうだよ」

「あら、どうしてかしら？」

「金はみなナマの音楽会のために、貯金したんだそうだ」

「なるほどねえ。わかるような気がするわ」

「しかし、ぼくは、あの先生のおかげで、音楽が好きになって、レコードを買うようになったよ」

二人は笑った。

「何がおかしい？」

咎めるように洋吉はいい、箸を置いて荒々しく椅子を立った。曾つて、洋吉はそんな態度を人に見せたことがない。

「お父さん。何を怒ってらっしゃるの」

思わず弘子も椅子から立ち上った。

「うむ」

息子と娘は、もっと父親を励ましてくれていいのだ。しかし、自分が二人の話の圏外に置かれた不満を、洋吉は説明することはできなかった。先ほどの、栄介のにやっと笑った顔に脅やかされて、波立っている胸のうちは、なおのこと誰にも語り得ない。

「少し疲れているのだ」

急に洋吉は、弱々しく腰をおろした。

「そうね。お父さん疲れていらっしゃるのよ。少し、温泉にでも行って休んでこられたらいいわ」

「うん、そうもしていられないが……」

「栄介兄さんのことなど、すっかり忘れて、洞爺あたりにでもおいでになったらいいのよ。ね、不二夫兄さん」

「そうですよ、お父さん」

「ほんとに、栄介兄さんみたいな親不孝者って、いないわ」

「うん」

洋吉は再び箸を取った。

「天罰よ、お兄さんは。絶対お父さんのせいじゃないわ」

「うん」

栄介のことを、天罰と弘子がいってくれたことに、洋吉は慰められた。洋吉はまだ、さっき病院で、栄介が口を利いたことも、二人には語っていない。それは洋吉にとって、余りにも衝撃的なことであった。

　何か考える顔をして、弘子を見ていた不二夫がいった。

「弘子、兄貴は天罰かなあ」

「なに？　不二夫、お前は天罰じゃないというのか」

　洋吉の声が再び尖った。

「ちょっと待ってください、お父さん」

　不二夫は静かな語調で、

「もし、天罰なら、もっときびしいものだと思うんですよ。天罰というには、兄貴は余りにも苦しんでいないですよね」

「なるほど、そういう意味かね」

　少し洋吉の声が和らいだ。が、弘子が食後のりんごを冷蔵庫から出してくると、

「りんごはいらん」

　洋吉は皿を押し返した。

「わたしは寝る」

「あら、もうおやすみになるの？　お父さん」

「疲れた」

「お医者さまをお呼びしましょうか」

「いや、いらん」

洋吉は、さっさと隣りの寝室に入って行った。

「ぼくが蒲団を敷いてあげるよ」

不二夫は小声で弘子にいい、洋吉のあとを追った。

弘子が食器を片づけていると、やがて不二夫が出てきた。

「少し、おやじさん、異常だな」

と声をひそめた。

「どうして？」

「うん、いま蒲団を敷いてやったら、涙をこぼしていたよ」

声を落したまま、不二夫はりんごをホークで突き刺した。

「どうしたのかしら」

「神経が参っているのかな」

「その点、お母さんは強靱ね」

「強靱というのかな、おふくろは。いや、あれは強靱ではない。やはり、異常だよ」

「いやーね」

弘子も小声で笑って、

「ねえ、不二夫兄さん、天罰じゃないといったわね」

「ああ、単純に悪因悪果だとは、今のぼくには思えないな」

「なあぜ？」

「そりゃあね、ぼくも兄貴が倒れた姿を見た瞬間は、正直いって、ざまあみろ！　天罰だ、という気持はあったよ。しかしねえ、ずっと兄貴の眠りつづけるのを見ているうちに、気持が変ったんだよ」

「どんなふうに？」

「何というかなあ。つまりね、兄貴がぼくより悪かったからこんなことになったのか、どうか、わからなくなったんだよ。確かに兄貴は、誰から見ても悪いことをしてはきたよ。だからといって、簡単に罰があたったといえるかどうか。罰なら、ぼくだって充分あたる資格があるからね」

「そんなことはないわ、不二夫兄さんなら」

「いや、ぼくなんか、わりと人にほめられてきたけれどね。しかし、心の中じゃ、兄貴なんて死ねばよいと思って、育ってきたようなものだよ。だから、本当の話、ぼくは物心ついて以来、こんなに安らかに、のびのびと暮らしたことはなかったような気がするぐらいだよ。

しかしね、兄貴は、ぼくらのことを死ねばいいとまでは、思ったことがないんじゃないかなあ」

「わからないわ。栄介兄さんなんて」

「しかし、天罰などというものが、事実あるとすればだね。あんな生ぬるいことで、すむはずがないという気もするなあ、ぼくには」

「そういえば、そうね。栄介兄さんよりも、はたの者が苦しんだり、くたびれてるわね」

「……それとも少しちがうよ。いつか、誰かの本に書いてあったんだがね。罰があたらないで、人間したいままに悪いことをしている状態が、最も恐ろしい罰だろうとね」

「ふーん。なるほどね、それ、わかる気がするわ。何ごとも起らず、悪をつづけていられるということの無気味さね、確かに無気味だわ」

弘子はふっと、幸せそうに死んで行った母方の祖母を思った。

洋吉は、翌日からぴたりと病院に行くのをやめた。その代りに不二夫をやった。そして、毎晩栄介の容態を尋ねた。

「兄さん、と呼びましたらね。何だ、うるさいなって、返事をしましたよ」

「今日は、ずーっと眠っていました」

「管からの流動食はやめて、口から食事をとることにしたそうです。二分がゆだそうです」

不二夫の伝える容態を、洋吉は更に根ほり葉ほり尋ねた。

「うるさいなといっただけか?」

「どのくらいの声だった?」

「顔色はどうだ?」

「一日中、ずっと起きているのか?」

まだ大半は眠っている。顔色は同じで、声はあまり大きくはない。不二夫は一つ一つ報告し、答える。その答えに、洋吉はじっと黙りこんだり、考えこんだりするのだ。

摩理が時折顔を出すが、その夜は摩理にも無愛想であった。口の中で、何かぶつぶついいながら、洋吉は不二夫と並んでソファにすわっていた。摩理は弘子と共に、洋吉に向ってすわっていたが、帰りがけにつくづくすまなさそうにいった。

「わたしが悪かったわ。小父さまに、ダイヤが盗まれたなんて、いわなければよかったのよね」

「あら、そんなことないわ。兄が悪いんですもの」

摩理はちらりと不二夫を見て、

「でも、わたし、あのダイヤをイミテーションだと、一言いっておけばよかったのよ」

といった。

「イミテーション?」

洋吉がきっと摩理を見た。弘子も驚いて摩理を見た。が、不二夫はきっぱりといった。

「いや、摩理さんは最初にそういいましたよ。どうせ、父が買ってくれたダイヤだから、にせ物だろうってね」

いわれてみれば、確かにそうだったと、弘子もその時のことを思い出した。しかし、弁護士の、裕福な家の娘である。初めから、ダイヤであると信じこんでいた。勝江も、このダイヤはわたしたちの家よりも高いといったのだ。

摩理が帰ったあと、洋吉はいらいらと、部屋の中を行ったり来たりしながら、何かぶつぶつと口の中でいっていた。見ていて弘子は淋しくなった。

ふと、市次郎に会いたいような気がした。洋吉が風呂に入ったあと、弘子は久しぶりに市次郎に電話をかけた。治が電話に出ないようにと念じながら、ダイヤルを廻した。伝わって来た声は、治でも市次郎でもなく、志村芳之の明るい声であった。

「やあ、大変ですね。今野から聞いていました。結婚式は延びちゃったし……。あなたはお元気ですか」

「おかげさまで何とか……。志村さんはお変りございません？」

「お変りなさすぎて、毎日ぼそぼそ暮らしています」

「あの……西井先生は……」

「ああ、今日は同僚の娘さんの結婚式だとかいって、出ています。何かご用でしたか」

「いいえ、別に。ちょっとお声を聞きたくて……どうぞよろしくおっしゃってくださいませ」

「それはどうも。留守でお気の毒しました。ぼくは社からの呼び出しで、今出かけるところです……え？……」

何かそばでいう声がし、

「すみません、ちょっと治君がご挨拶したいそうですので……じゃ、失礼」

返事をする間もなく治の声がした。

「もしもし、治です。意識不明だそうですね。甚だ愉快です」

栄介がとはいわずに、治はいきなり切りつけるようにいった。

「そうであるべきですよ。彼は眠っているべき人間ですよ、永久にね。あなたがたの結婚も延びるのが当然です。実に愉快です。ぼくがいいたいのは、それだけですよ」

低い笑い声が聞えて、電話は切れた。弘子は呆然と、しばらく受話器を持ったまま、突っ立っていた。

その夜、弘子は三時頃まで眠られなかった。それでも、七時半には目がさめた。さめた途端に、

「甚だ愉快です」

という治の言葉が、耳の中でエコーのように響いた。寝不足のはずなのに、意識がひどく鮮明であった。鏡を見ると、少し青ざめた顔が、引きしまって見えた。

弘子は窓のカーテンを開いた。外は雨が降って暗い朝であった。階下に降りて行くと、不二夫がコーヒーを飲んでいた。

「今日はみんな寝坊だね」

「ごめんなさい。お父さんもまだ寝ているの」

「珍しいことだよ。学校は休むのかなあ」

不二夫は腕時計を見た。

「変ね。お父さんはいつも五時前には起きるのよ」

弘子の耳の中に、治の声がした。

「何かと疲れているんじゃないか。たまにはゆっくり眠るといいよ。ノイローゼ気味だからね」

「ちょっと見てみるわ」

弘子は立って行って、そっと洋吉の部屋の戸を開けた。が、

「お兄さん！　いないわよ」

と声を上げて、ふり返った。

「いない？」

　駆けてきて不二夫も部屋をのぞいた。

　蒲団はもぬけのからである。掛蒲団ははねられたままだった。蒲団には、何のぬくもりもない。二人は顔を見合わせた。

「雨の中を散歩に出るはずもないし……」

「思いついて、病院にでも出かけたかなあ」

「そうね、そうかも知れないわ」

　病院に電話をかけると、勝江は、

「お父さん？　いいえ、来ていませんよ」

　と、のんきな声であった。電話を切って、

「学校に出かけたのかしら」

「今までに、朝飯も食べないで出かけたことはないだろう」

「でも、もう学校は始まるわ。電話をしてみようかしら」

「いや、それはやめたほうがいい」

「そうお。一体どうしたのかしら。でもお兄さんも、もう出かけなければ……」

「うん、しかし……」

さすがに不二夫は不安そうであった。

「あ！　摩理さんのところじゃない？」

「まさか、こんなに早くから……」

「でも、ゆうべ摩理さんにひどく不機嫌な顔を見せていたでしょう。だからお詫びに行ったのかも知れないわ」

あるいは反対に、文句をつけに行ったのかも知れないと危ぶみながら、弘子は傘をさして、摩理の家に行った。が、摩理はちょうど、車庫から車を出していて、

「あら、なにかご用？　今日、これから雷電海岸に行ってくるの。少し天気は悪いけれど、向うは晴れているかも知れないわ」

弘子はさりげなく、父を見かけなかったかと尋ねた。摩理は車庫のシャッターを降ろしながら、

「いいえ、みかけなかったわよ。どうかなさったの？」

「ううん。わたしが朝寝坊をして朝ごはんを上げなかったの。それで機嫌を害《そこ》ねて、あなたのところへお邪魔してるかと思ったのよ。じゃ、もう学校へ行ったのかも知れないわ」

弘子は家に帰ってきた。玄関の上りがまちに、不二夫が腰をおろしていた。

「いないわ」

「定山渓にでも、骨休めに行ったのかも知れないよ、昨夜のうちに」

「まさか、黙って行きはしないわ」

　不二夫は時計を見て立ち上った。

「行くの？　銀行に？」

　玄関のドアを開きかけて、不二夫はふり返り、ちょっと黙ったが、

「休んでもいられないけれど……。休むよ」

「わたしも休むわ。何だか心配ですもの」

　二人は再び部屋にもどった。

「やっぱり、学校に電話してみるわ」

　弘子はダイヤルを廻したが、二度もかけまちがった。

「もしもし、お早うございます。真木でございますが、お忙しいところ恐れ入ります。父をおねがいいたします」

「あ、お嬢さんですか。校長は今日、見えていないようですが……。お休みではないのですか」

「さあ、わたくし、ちょっと外からかけておりまして……。どうも失礼いたしました」

　受話器をおいて、弘子は頭を横にふった。

「学校を黙って休むおやじじゃないはずだがねえ」

不二夫は腕を組んだ。

洋吉は、死んだのか、生きているのか、五日経っても、十日経っても、不明であった。三日目には、遂に警察に届けた。学校から教頭をはじめ、数人の教師が毎日顔を出した。人々は次第に、死んだかも知れないと思うようになった。勝江だけが、一人相変らず無表情な顔をしていた。

弘子は疲れきっていた。いつまでも会社を休んでいるわけにもいかない。何事もないような顔で、日々客と応対しながら、思うのは父の洋吉のことだった。一生をまじめに生きてきた父が、こんなことになろうとは、夢にも思わぬことであった。今野が、変らぬ誠実さで励ましてくれるだけが、僅かに慰めであり心の支えにもなっていた。が、二人の結婚が延び、更に洋吉が行方不明となっては、今後果してどうなって行くのか、見当もつかない。

そんな中で、どこかの山の中の木に、くびれ死んでいる父の姿、野の果てで雨に打たれて冷たくなっている父の姿が、いやでも目に浮かぶ。

今日も疲れ果てて帰宅した弘子は、着更えるのももものうく、ぼんやりと自分の部屋の窓から、夕暮の外を眺めていた。庭のナナカマドの少し色づいた葉と実の赤さが目にしみる。うすぐもりの空が、少し黄ばんでいる。

と、ふいにあの雪の日が思い出された。おずおずと門を入って来た時の紀美子の姿や、玄関で栄介の在宅の有無を尋ねた時の、すがりつくような紀美子の悲しい目がありありと目に浮かぶ。考えてみると、紀美子に会ったのは、あの雪の日が最初であり、最後であったはずなのに、もう幾度も会った人のような気がする。そしてふしぎなことに、石狩河口にあがったという紀美子の水死体の顔まで、まるで見たことがあるように、ありありと目に浮かんでくるのだ。

弘子は、はっとした。その紀美子の水死体の傍を、ゆっくりと流れて行く父の姿が幻のように見えたのだ。

あわてて弘子は首を横にふった。

「実に愉快です」

「実に愉快です」

またしても、治の声が聞えてくるようだった。

その頃、栄介はベッドの上で、勝江に七分がゆを食べさせてもらいながら、

「早く酒が飲みたいなあ」

といっていた。

（終わり）

相　克

〈底本について〉

この本に収録されている作品は、次の出版物を底本にして編集しています。

『残像』集英社文庫　1977年11月30日

（1986年9月25日第26刷）

〈差別的表現について〉

作品本文中に、差別的表現とも受け取れる語句や言い回しが使用されている場合がありますが、著者が故人であることを考慮して、底本に沿った表現にしております。ご了承ください。

三浦綾子とその作品について

三浦綾子　略歴

1922　大正11年　4月25日
北海道旭川市に父堀田鉄治、母キサの次女、十人兄弟の第五子として生まれる。

1935　昭和10年　13歳
旭川市立大成尋常高等小学校卒業。

1939　昭和14年　17歳
旭川市立高等女学校卒業。
歌志内公立神威尋常高等小学校教諭。

1941　昭和16年　19歳
神威尋常高等小学校文珠分教場へ転任。
旭川市立啓明国民学校へ転勤。

1946　昭和21年　24歳
啓明小学校を退職する。
肺結核を発病、入院。以後入退院を繰り返す。

1948　昭和23年　26歳
幼馴染の結核療養中の前川正が訪れ交際がはじまる。
1952　昭和27年　30歳
脊椎カリエスの診断が下る。
小野村林蔵牧師より病床で洗礼を受ける。
1954　昭和29年　32歳
前川正死去。
1955　昭和30年　33歳
三浦光世と出会う。
1959　昭和34年　5月24日　37歳
三浦光世と日本基督教団旭川六条教会で中嶋正昭牧師司式により結婚式を挙げる。
1961　昭和36年　39歳
新居を建て、雑貨店を開く。
1962　昭和37年　40歳
『主婦の友』新年号に入選作『太陽は再び没せず』が掲載される。

1963　昭和38年　41歳
朝日新聞一千万円懸賞小説の募集を知り、一年かけて約千枚の原稿を書き上げる。
1964　昭和39年　42歳
朝日新聞一千万円懸賞小説に『氷点』入選。
朝日新聞朝刊に12月から『氷点』連載開始（翌年11月まで）。
1966　昭和41年　44歳
『氷点』の出版に伴いドラマ化、映画化され「氷点ブーム」がひろがる。
『塩狩峠』の連載中から口述筆記となる。
1981　昭和56年　59歳
初の戯曲「珍版・舌切り雀」を書き下ろす。
旭川公会堂にて、旭川市民クリスマスで上演。
1989　平成元年　67歳
結婚30年記念ＣＤアルバム『結婚30年のある日に』完成。
1994　平成6年　72歳
『銃口』刊行。最後の長編小説となる。

1998　平成10年　76歳
三浦綾子記念文学館開館。
1999　平成11年　77歳
10月12日午後5時39分、旭川リハビリテーション病院で死去。

没後

2008　平成20年
開館10周年を迎え、新収蔵庫建設など、様々な記念事業をおこなう。
2012　平成24年
生誕90年を迎え、電子全集配信など、様々な記念事業をおこなう。
2014　平成26年
『氷点』デビューから50年。「三浦綾子文学賞」など、様々な記念事業をおこなう。
10月30日午後8時42分、三浦光世、旭川リハビリテーション病院で死去。90歳。

2016　平成28年
『塩狩峠』連載から50年を迎え、「三浦文学の道」など、様々な記念事業をおこなう。
2018　平成30年
開館20周年を迎え、分館建設、常設展改装など、様々な記念事業をおこなう。
2019　令和元年
没後20年を迎え、オープンデッキ建設、氷点ラウンジ開設などの事業をおこなう。
2022　令和4年
三浦綾子生誕100年を迎え、三浦光世日記研究とノベライズ、作品テキストや年譜のデータベース化、出版レーベルの創刊、作品のオーディオ化、合唱曲の制作、学校や施設等への図書贈呈など、様々な記念事業をおこなう。

三浦綾子　おもな作品　（西暦は刊行年※一部を除く）

1962　『太陽は再び没せず』（林田律子名義）
1965　『氷点』
1966　『ひつじが丘』
1967　『愛すること信ずること』
1968　『積木の箱』『塩狩峠』
1969　『道ありき』『病めるときも』
1970　『裁きの家』『この土の器をも』
1971　『続氷点』『光あるうちに』
1972　『生きること思うこと』『自我の構図』『帰りこぬ風』『あさっての風』
1973　『残像』『愛に遠くあれど』『生命に刻まれし愛のかたみ』『共に歩めば』
『死の彼方までも』
1974　『石ころのうた』『太陽はいつも雲の上に』『旧約聖書入門』
1975　『細川ガラシャ夫人』

1976『天北原野』『石の森』
1977『広き迷路』『泥流地帯』『果て遠き丘』『新約聖書入門』
1978『毒麦の季』『天の梯子』
1979『続泥流地帯』『孤独のとなり』『岩に立つ』
1980『千利休とその妻たち』
1981『海嶺』『イエス・キリストの生涯』『わたしたちのイエスさま』
1982『わが青春に出会った本』『青い棘』
1983『水なき雲』『三浦綾子作品集』『泉への招待』『愛の鬼才』『藍色の便箋』
1984『北国日記』
1985『白き冬日』『ナナカマドの街から』
1986『聖書に見る人間の罪』『嵐吹く時も』『草のうた』『雪のアルバム』
1987『ちいろば先生物語』『夕あり朝あり』
1988『忘れえぬ言葉』『小さな郵便車』『銀色のあしあと』
1989『それでも明日は来る』『あのポプラの上が空』『生かされてある日々』
『あなたへの囁き』『われ弱ければ』
1990『風はいずこより』

1991　『三浦綾子文学アルバム』『三浦綾子全集』『祈りの風景』『心のある家』
1992　『母』
1993　『夢幾夜』『明日のあなたへ』
1994　『キリスト教・祈りのかたち』『銃口』『この病をも賜ものとして』
　　　『小さな一歩から』『幼な児のごとく──三浦綾子文学アルバム』
1995　『希望・明日へ』『新しき鍵』『難病日記』
1996　『命ある限り』
1997　『愛すること生きること』『さまざまな愛のかたち』
1998　『言葉の花束』『綾子・大雪に抱かれて』『雨はあした晴れるだろう』
　　　『ひかりと愛といのち』
1999　『三浦綾子対話集』『明日をうたう命ある限り』『永遠に　三浦綾子写真集』
2000　『遺された言葉』『いとしい時間』『夕映えの旅人』『三浦綾子小説選集』
2001　『人間の原点』『永遠のことば』
2002　『忘れてならぬもの』『まっかなまっかな木』『私にとって書くということ』
2003　『愛と信仰に生きる』『愛つむいで』
2004　『「氷点」を旅する』

2007『生きることゆるすこと 三浦綾子 新文学アルバム』
2008『したきりすずめのクリスマス』
2009『綾子・光世 響き合う言葉』
2012『丘の上の邂逅』『三浦綾子電子全集』
2014『ごめんなさいといえる』
2016『国を愛する心』『三浦綾子 366のことば』
2018『一日の苦労は、その日だけで十分です』
『信じ合う 支え合う 三浦綾子・光世エッセイ集』
2020『カッコウの鳴く丘』(小冊子)
2021『雨はあした晴れるだろう』(増補復刊)『三浦綾子祈りのことば』
2022『平凡な日常を切り捨てずに深く大切に生きること』
『愛は忍ぶ 三浦綾子物語——挫折が拓いた人生』
『三浦綾子生誕100年記念文学アルバム ——ひかりと愛といのちの作家』
2023『あたたかき日光《ひかげ》 三浦綾子・光世物語』

三浦綾子の生涯

難波真実（三浦綾子記念文学館 事務局長）

三浦綾子は1922年4月25日に旭川《あさひかわ》で誕生しました。地元の新聞社に勤める父・堀田鉄治と母・キサの五番めの子どもでした。大家族の中で育ち、特に祖母の影響が強かったのでしょうか、お話の世界が好きで、よく本を読んでいたようです。文章を書くことも好きだったようで、小さい頃からその片鱗がうかがえます。13歳の頃に幼い妹を亡くし、死と生を考えるようになりました。この妹の名前が陽子で、『氷点』のヒロインの名前となりました。

綾子は女学校卒業後、16歳11ヶ月で歌志内《うたしない》市（旭川から約60キロ南）の小学校に代用教員として赴任します。当時は軍国教育の真っ只中。綾子も一途に励んでおりました。

そんな中で1945年8月、日本は敗戦します。それに伴い、教育現場も方向転換しました。教科書への墨塗りもその一例です。そのことが発端となってショックを受け、生徒たちへの責任を重く感じた綾子は、翌年3月に教壇を去りました。私の教えていたことは何だったのか。正しいと思い込んで一所懸命に教えていたことが、まるで反対だったと、失意の底に沈みました。

しかし一方で、彼女の教師経験は作品を生み出す大きな力となりました。『積木の箱』『泥流地帯』『天北原野』など、多くの作品で教師と生徒の関わりの様子が丁寧に描かれていて、綾子が生徒たちに向けていた温かい眼差しがそこに映しだされています。また、綾子最後の小説『銃口』で、北海道綴方《つづりかた》教育連盟事件という出来事を描いていますが、教育現場と国家体制ということを鋭く問いかけました。

さて、教師を辞めた綾子は結婚しようとするのですが、結納を交わした直後に病気にかかります。肺結核でした。人生に意味を見いだせない綾子は婚約を解消し、オホーツクの海で入水自殺を図ります。間一髪で助かったものの自暴自棄は変わらず、生きる希望を失ったままでした。そしてさらに、脊椎カリエスという病気を併発し、絶対安静という療養生活に入ります。ギプスベッドに横たわって身動きできない、そういう状況が長く続きました。

しかしある意味、この闘病生活が綾子の人生を大きく方向づけました。療養が始まって2年半が経った頃、幼なじみの前川正という人に再会し、彼の献身的な関わりによって綾子は人生を捉え直すことになります。人はいかに生きるべきか、愛とはなにかということを綾子はつかんでいきました。前川正を通して、短歌を詠むようになり、キリスト教の信仰を持ちました。作家として、人としての土台がこの時に形作られたのです。

前川正は綾子の心の支えでしたが、彼もまた病気であり、結局、綾子を残してこの世を去ります。綾子は大きなダメージを受けました。それから1年ぐらい経った頃、綾子が参加していた同人誌の主宰者によるきっかけで、ある男性が三浦綾子を見舞います。この人が、三浦光世。後に夫になる人です。光世は綾子のことを本当に大事にして、愛して、結婚することを決めるのです。病気の治るのを待ちました。もし、治らなくても、自分は綾子以外とは結婚しないと決めたのですが、4年後、綾子は奇跡的に病が癒え、本当に結婚することができたのです。

結婚した綾子は雑貨店「三浦商店」を開き、目まぐるしく働きます。そんな折に弟から手渡された朝日新聞社の一千万円懸賞小説の社告を見て、1年かけて約千枚の原稿を書き上げました。それがデビュー作『氷点』。42歳の無名の主婦が見事入選を果たします。テレビドラマ、映画、舞台でも上演されて、氷点ブームを巻き起こしました。

一躍売れっ子作家となった綾子は『ひつじが丘』『積木の箱』『塩狩峠』など続々と作品を発表します。テレビドラマの成長期とも重なり、作家として大活躍しました。光世は営林局に勤めていたのですが、作家となった綾子を献身的に支えました。『塩狩峠』を書いている頃から綾子は手が痛むようになり、光世が代筆して、口述筆記のスタイルを採るようになりました。それからの作品はすべてそのスタイルです。光世は取材旅行にも同行しました。文字通り、夫婦としても、創作活動でもパートナーとして歩みました。

１９７１年、転機が訪れます。主婦の友社から、明智光秀の娘の細川ガラシャを書いてくれとの依頼があり、翌年取材旅行へ。これが初の歴史小説となり、『泥流地帯』『天北原野』『海嶺』などの大河小説の皮切りとなりました。三浦文学の質がより広く深くなったのです。同じく歴史小説の『千利休とその妻たち』も好評を博しました。

ところが１９８０年に入り、「病気のデパート」と自ら称したほどの綾子は、その名の通り次々に病気にかかります。人生はもう長くないと感じた綾子は、伝記小説をその頃から多く書きました。クリーニングの白洋舎を創業した五十嵐健治氏を描いた『夕あり朝あり』は、激動の日本社会をも映し出し、晩年の作品へとつながる重要な作品です。

１９９０年に入り、パーキンソン病を発症した綾子は「昭和と戦争」を伝えるべく、最後の力を振り絞って『母』『銃口』を書き上げました。〝言葉を奪われる〟ことの恐ろしさと、そこに加担してしまう人間の弱さをあぶり出したこの作品は、「三浦綾子の遺言」と称され、日本の現代社会に警鐘を鳴らし続けています。

綾子は、最後まで書くことへの情熱を持ち続けた人でした。そして光世はそれを最後まで支え続けました。手を取り合い、理想を現実にして、愛を紡ぎつづけた二人でした。

そして１９９９年10月12日、77歳でこの世を去りました。旭川を愛し、北海道を〝根っこ〟にして書き続けた35年間。単著本は八十四作にのぼり、百冊以上の本を世に送り出しました。今なお彼女の作品は、多くの人々に生きる希望と励ましを与え続けています。

三浦綾子とその作品について

この「手から手へ～三浦綾子記念文学館復刊シリーズ」は、〝紙の本で読みたい〟という三浦綾子文学ファンの声に応えるため、絶版や重版未定のまま年月が経過した作品を、三浦綾子記念文学館が編集し、本にしたものです。

〈シリーズ一覧〉

(1) 三浦綾子『果《は》て遠《とお》き丘《おか》』(上・下) 2020年11月20日

(2) 三浦綾子『青《あお》い棘《とげ》』 2020年12月1日

(3) 三浦綾子『嵐《あらし》吹《ふ》く時《とき》も』(上・下) 2021年3月1日

(4) 三浦綾子『帰《かえ》りこぬ風《かぜ》』 2021年3月1日

(5)三浦綾子『残像《ざんぞう》』（上・下）2021年7月1日

(6)三浦綾子『石《いし》の森《もり》』2021年7月1日

(7)三浦綾子『雨《あめ》はあした晴《は》れるだろう』（増補）2021年10月1日

(8)三浦綾子『広《ひろ》き迷路《めいろ》』2021年10月30日

(9)三浦綾子『裁《さば》きの家《いえ》』2023年2月14日

(10)三浦綾子『積木《つみき》の箱《はこ》』2023年春頃刊行予定

ほか、公益財団法人三浦綾子記念文化財団では左記の出版物を刊行しています（刊行予定を含む）。

〈氷点村文庫〉

(1)『おだまき』（第一号第一巻）２０１６年12月24日　※絶版

(2)『ストローブ松《まつ》』（第一号第二巻）２０１６年12月24日　※絶版

〈記念出版〉

(1)『合本特装版《がっぽんとくそうばん》　氷点《ひょうてん》・氷点《ひょうてん》を旅《たび》する』　２０２２年4月25日

(2)『三浦綾子《みうらあやこ》生誕《せいたん》100年《ねん》記念《きねん》アルバム　―ひかりと愛といのちの作家』　２０２２年10月12日

〈横書き・総ルビシリーズ〉

(1)『横書《よこが》き・総《そう》ルビ　氷点《ひょうてん》』(上・下)　２０２２年９月30日

(2)『横書《よこが》き・総《そう》ルビ　塩狩峠《しおかりとうげ》』　２０２２年８月１日

(3)『横書《よこが》き・総《そう》ルビ　泥流地帯《でいりゅうちたい》』　２０２２年８月１日

(4)『横書《よこが》き・総《そう》ルビ　続泥流地帯《ぞくでいりゅうちたい》』　２０２２年８月15日

(5)『横書《よこが》き・総《そう》ルビ　道《みち》ありき』　２０２２年９月１日

(6)『横書《よこが》き・総《そう》ルビ　細川《ほそかわ》ガラシャ夫人《ふじん》』(上・下)　２０２２年12月25日

〈読書のための「本の一覧」のご案内〉

三浦綾子記念文学館の公式サイトでは、三浦綾子文学に関する本の一覧を掲載しています。読書の参考になさってください。左記URLあるいはQRコードでご覧ください。

https://www.hyouten.com/dokusho

ミリオンセラー作家《さっか》　三《み》浦《うら》綾《あや》子《こ》

1922年《ねん》北海道《ほっかいどう》旭《あさひ》川《かわ》市《し》生《う》まれ。小学校《しょうがっこう》教師《きょうし》、13年《ねん》にわたる闘病生活《とうびょうせいかつ》、恋人《こいびと》との死別《しべつ》を経《へ》て、1959年《ねん》三浦光世《みうらみつよ》と結婚《けっこん》し、翌々《よくよく》年《ねん》に雑貨店《ざっかてん》を開《ひら》く。

1964年《ねん》小説《しょうせつ》『氷点《ひょうてん》』の入選《にゅうせん》で作家《さっか》デビュー。約《やく》35年《ねん》の作家生活《さっかせいかつ》で84にものぼる単著作品《たんちょさくひん》を生《う》む。人《ひと》の内面《ないめん》に深《ふか》く切《き》り込《こ》みながらそれでいて地域風土《ちいきふうど》に根《ね》ざした情景描写《じょうけいびょうしゃ》を得意《とくい》とし〝春《はる》を待《ま》つ〟北国《きたぐに》の厳《きび》しくも美《うつく》しい自然《しぜん》を謳《うた》い上《あ》げた。1999年《ねん》、77歳《さい》で逝去《せいきょ》。

残像　下

手から手へ 〜 三浦綾子記念文学館復刊シリーズ ⑤

二〇二一(令和三)年七月一日　私家版発行
二〇二一(令和三)年十月三十日　初版発行
二〇二三(令和五)年四月二十八日　第二刷

著者　三浦綾子
発行者　田中綾
発行所　公益財団法人三浦綾子記念文化財団
〒〇七〇―八〇〇七
北海道旭川市神楽七条八丁目二番十五号
電話　〇一六六―六九―二六二六
https://www.hyouten.com
価格はカバーに表示してあります。
印刷所　三浦綾子記念文学館
株式会社あいわプリント
製本所　有限会社すなだ製本

 ISBN 978-4-9912325-2-7